S0-ADO-411

Ernesto Sábato

EL TÚNEL

Edited by Louis C. Pérez

87

THE MACMILLAN COMPANY, NEW YORK

Foreword

*E*rnesto Sábato is one of Argentina's most widely known contemporary writers. Since 1945, when his collection of short philosophical essays, *Uno y el universo,* won the Premio Municipal, he has been recognized as a vital, dynamic presence in the field of Argentine letters. French-language editions of his work and publication in the United States have carried his name and achievements far beyond the borders of his distant southern homeland.

Although Sábato won early critical success as an assayist, his literary reputation was most firmly established with the publication (1948) of his first novel, *El túnel.* The story of Juan Pablo Castel's crime, related by Castel himself, is a faithful reflection of the intense concern that Sábato had always felt for the existential problems of modern man. The novel's language and mode of expression are direct and succinct; the story seizes the reader's interest with the first words, and the emotions it evokes thereafter are in no way blurred by any kind of literary window dressing. *El túnel* is an extremely readable novel of *ideas* and *feelings.*

It is very much a modern novel, a twentieth century novel; and Sábato is a modern artist, a writer who is *engagé*—thoroughly involved in the social and moral issues of his time.

To this new edition of *El túnel* Professor Louis C. Pérez has brought numerous insights derived from his discussion of the novel with the author.

It is with pleasure, therefore, and a sense of appropriateness that we include Sábato's *El túnel* in this series. It is, as we have observed, a distinctly *modern* Spanish American novel. Our pleasure derives from being able to offer it here for the judgment of a new, intellectually curious audience.

D. A. Y.

Contents

Introduction

*E*rnesto Sábato was born in 1911 in Rojas, a small city in the province of Buenos Aires. He studied at the University of La Plata and obtained a doctorate in physics in 1938. He won a fellowship to the Curie Laboratory in Paris and later studied at Massachusetts Institute of Technology. Early in his educational career he manifested an interest in writing. Examples of his literary efforts began to appear in SUR as early as 1940. In 1944, after abandoning a scientific career, he withdrew from public life for a year to write his first book: *Uno y el universo* (1945), a kind of personal, philosophical stock-taking. Among the awards this book received was Argentina's highly coveted Premio Municipal for prose in 1945. Since then he has contributed many articles and essays to the leading journals of South America and has published several books of essays *(Hombres y engranajes,* 1951; *Heterodoxia,* 1953; *El escritor y sus fantasmas,* 1963), and two novels *(El túnel,* 1948; *Sobre héroes y tumbas,* 1961). The long-awaited second novel was a best seller in Argentina in 1962 and has already been translated into several foreign languages.

Sábato's most important literary success came with his first novel, *El túnel.* Soon after publication it was translated into French, English, Polish, Portuguese, Swedish, Japanese, Danish and German—an international welcome accorded to few books by Spanish American authors. Among the many outstanding men of letters who reviewed and admired this book was Albert Camus who personally advised his publisher to bring it out in French translation.

Style and Perspective

Most critics agree that *El túnel,* a penetrating psychological novel of passion and crime, holds the reader fascinated from the very beginning. It is tense and intense, dense and profound, with an ad-

1

mirable rhythm, constructed with symbols that point to a universal theme—the problem of man's existence and his quest for identity. Sábato's intent in this novel is to capture complete reality—the reality of the exterior world and that of the interior, spiritual world. And this combination of the objective and subjective, which is reality, is best recorded and made concrete through the media of art and literature where we can transcend the *I*. To quote Sábato, "when I have felt and expressed my deepest feelings, each individual reader will feel that I have touched his own problems. By penetrating deeply into my own *I*, and only in this way, can I reach the reality of others."*

Sábato chose to write his novel from the perspective of the first person because a novel in the form of an autobiography immediately captures our interest. The novel's protagonist, painter Juan Pablo Castel, confides in us; we are drawn closer to him; he is talking individually to each of us, and he seeks our understanding and sympathy. Through this first person technique we come to know the main character exceptionally well. We observe him in the act of reasoning. We see and feel him suffering: wallowing in a boiling mass of naked emotions; and we experience his same feelings and reactions to an everyday external reality. From this subjective world the external one appears to the reader as it appears to Castel—like a vague, imprecise, absurd phantasmagory.

Moreover, much to the benefit of the author's thematic purpose, we see the other characters in the novel from Castel's point of view. Hence the first person approach is ideally suited to underscore the isolation of the individual and to make manifest the difficulty of bridging the gap between individual beings. Any other approach would either put us at a point psychologically equidistant from all the characters, or leave us at the periphery. We would miss the author's main idea: the pressing need to communicate, the problem of getting oneself across to others, which is the barrier that Castel attempts to overcome.

As already suggested, in order to capture this complete reality, Sábato reveals to us the workings of Castel's mind. We see the germ that gives birth to the idea. We witness how the mind nurtures this germ and then projects it, fully developed, into the unknown—the outside world. We witness how Castel invents questions and answers

* *Heterodoxia,* p. 115.

for his anticipated meeting with María, questions that in Castel's words, "lead from the sentence 'Where is the main post office?' right up to a discussion of certain problems dealing with expressionism and surrealism."

To reproduce the oneness of reality of the protagonist's life, or as Unamuno would say, the *agonist's* life, Sábato uses an intense, emotion-packed vocabulary throughout. There is not a dream vocabulary for one situation and a real life vocabulary for another—Castel's entire existence is a perpetual nightmare. The author manages to ease us in and out of Castel's nightmares with such skill (often a single sentence will accomplish this goal) that we are completely unaware of the barrier between the real and unreal worlds of the novel. All experience becomes part of one reality. We are spellbound by the author and caught up in his mental stream of consciousness. The tempo of the words in the novel is always fast, the pitch high, and the tone achieved to a large extent through the meticulous choice and varied repetition of words: *soledad, deprimido, ansiedad, amargura, loco, manía*—which also contribute to the magnificent rhythm of the novel and produce a somber, sad and lugubrious mood. We are also given fleeting glimpses of subliminal reality. Castel is speaking: "I had a strange intuition: rapidly I lit another match. Just as I had thought, María's face was smiling. That is to say, it was no longer smiling, but it had been smiling a tenth of a second before."

There is no doubt about it: Sábato "surrenders" the novel completely to Castel and the latter employs a direct, energetic and simple vocabulary. He wants to be understood. His perceptions are appropriately expressed in the jargon of the painter-artist, a man sensitive to shapes and tones, to the color and figuration of a tree trunk or of a dry leaf.

The style of the novel also serves to underscore one of Castel's most striking traits: his fanatical faith in logic. Castel is constantly rationalizing, making deductions and seeking explanations for all experiences and actions. On one occasion he observes how the use of an article changes the tone of an utterance. In his letter to María he betrays a mania for precision. He analyzes the possibilities of a situation and makes logical deductions from "an endless series of variants." Castel is quite aware of his ways: "—It's not that I don't know how to rationalize! On the contrary, I am constantly rationalizing."

Theme

We have already alluded to the fact that the author's theme is the isolation of the individual—the world as seen from an absolute subjectivity. Castel speaks often of *soledad* and of his inability to communicate with another person. In fact, herein lies his reason for writing this confession from his prison cell. As Castel states: "the faint hope that some person will come to understand me, *even if it be only a single person,* encourages me." The painting which he titles *Maternidad* also conveys this theme: "in my opinion the scene suggested an anxious and absolute loneliness." And too, when he finally meets María, this similar concern is repeated: "Perhaps she felt my anxiety, my need to communicate, because for a moment her eyes became soft and she seemed to offer me a bridge to her." This need is so deep-rooted that it is revealed in a nightmare in which Castel is changed into a bird: ". . . I began to shout everything at the top of my voice. Then I observed two astonishing facts: the sentence that I wanted to utter was converted into a harsh screech, a strange screech filled with despair." But his friends had not noticed his big birdlike body and appeared to hear his usual voice uttering the usual sounds. No one showed the slightest astonishment. And when Castel stopped talking, it seemed that only the owner of the house was aware of what was happening. The owner's eyes shone and he smiled sarcastically. Castel was screeching and his audience was hearing something else—which either made sense, or made as much sense as other senseless utterings they were in the habit of hearing.

Significant to the theme of the novel is the fact that not only Castel but other persons as well have difficulty in communicating. María speaks of this. Mimí and Hunter never quite communicate, in spite of the flood of words that flows between them. Allende's marital problems stem from this same failure. In short, no one seems to succeed in leaving his psychological shell and in making his real self (wants, desires, and frustrations) known to another. Castel makes this point dramatically since he is, in a sense, an exaggerated example of all humanity: antisocial, anti-organizational, and anti-traditional. Even Mimí, Hunter, and María come to terms with their environment and cater to the demands of society. If there is any doubt in the reader's mind that the theme is that of *soledad,* it is dispelled in the last few pages, when the author explains the title of his book and the metaphor of the tunnel.

We learn in another one of Sabato's books, *Heterodoxia,* why Castel chose to attempt communication by means of love: "Of all the ways [of communicating], love is the most powerful. But it would be useless for him to love a robot, or a prostitute who converts love into mechanical sex. . . . Only through a complete relationship with a subject (body and soul), can we get outside of ourselves, transcend our solitude and achieve communication. . . ."

The fact is that the *I* aspires to communicate with another *I;* with an *I* equally free and with an awareness or consciousness similar to its own. This similarity is what Castel discovers in María: "You think as I do." And she in him: ". . . At times it seems to me as if we have always lived this scene together. When I saw that solitary woman at your window [referring to Castel's canvas, *Maternidad*], I felt that you were like me and that you were also blindly seeking someone. . . ." Only by discovering himself in another being can Castel hope to escape aloneness and madness. As he states, failure to make contact with another *I* reduces our lives to a "series of anonymous shouts in a desert of indifferent stars."

By failing with María, Castel fails to establish complete contact with the outside world. He fails because he cannot absorb her personality and identity. To him, love is conquest through surrender. Surrender results in the freeing of one's self from the feeling of aloneness. For Castel senses that no one wants to surrender completely—to lose one's identity, one's personality.

In terms of modern psychology, Castel may be explained as a schizophrenic, a man with a persecution and inferiority complex, who distrusts everyone, whom no one understands or whom everyone misunderstands. He *belongs* nowhere, as is suggested by his hatred for all groups, social or political.

Although Castel may be explained to us in terms of modern psychology, he interests us more as an incarnation of a metaphysical problem. In a broader sense, Castel is a product of the twentieth century. He appears to be a man who has broken with the past, has torn away his roots, and apparently has eliminated the future. He finds himself completely isolated, alone, as if in a tunnel. He is faithless. For him, "God" is only a useful exclamation. Christ is acceptable only as a real man or as a symbol, not as a supernatural being. The fact is that Castel sees himself as a god: "my solitude does not frighten me, it is almost Olympian." He believes only in the *nada:* he owes his existence to no one, nor does he accept any norms or rules of human behavior. The emphasis on the present tense assures us also that Castel's concern is not for the past or the future, but for the here and now. He is isolated in time. "At times I think nothing makes sense. On a miniscule planet that has been rushing toward nothingness for millions of years, we are born in the midst of sorrow, we grow, we struggle, we fall ill, we suffer, we make others suffer, we shout, we die, they die, and others are being born to begin anew the useless comedy."

Castel must make his decisions and the margin for error is great. He will never know whether his choice has been the correct one, for there is only one choice for each series of circumstances and he cannot go back to choose again. He must suffer the consequences that each choice entails. So he avails himself of all the tools he can muster to insure a correct choice. This explains his fanatical concern for logic.

In exchange for the freedom to choose, our *agonist* must pay a price—he is anguished, alone, destitute, forgotten, abandoned, and in despair. And in an extreme case such as his, life becomes meaningless. Castel has in some way, willingly or not, got out of the current. He views the world through the little window of his painting and sees a mass of broken mirror glass that casts multiple and distorted reflections.

Life is for Castel "a tale told by an idiot, full of sound and fury, signifying nothing." Juan Pablo Castel is a product *and* a victim of the twentieth century, a century which in a broad sense has supplanted religious fanaticism with a fanaticism for logic and thus shown a disregard for the real spiritual suffering and anguish of man.

Ernesto Sábato

El túnel

NOVELA

I

$\mathcal{B}$astará decir que soy Juan Pablo Castel, el pintor que mató a María Iribarne; supongo que el proceso está en el recuerdo de todos y que no se necesitan mayores explicaciones sobre mi persona. Aunque ni el diablo sabe qué es lo que ha de recordar la gente,[1] ni por qué. En realidad, siempre he pensado que no hay memoria colectiva, lo que quizá sea una forma de defensa de la especie humana. La frase "todo tiempo pasado fue mejor" no indica que antes sucedieran menos cosas malas, sino que —felizmente— la gente las echa en el olvido.[2] Desde luego, semejante frase no tiene validez universal; yo, por ejemplo me caracterizo por recordar preferentemente los hechos malos y, así, casi podría decir que "todo tiempo pasado fue peor", si no fuera porque el presente me parece tan horrible como el pasado; recuerdo tantas calamidades, tantos rostros cínicos y crueles, tantas malas acciones, que la memoria es para mí como la temerosa luz que alumbra un sórdido museo de la vergüenza. ¡Cuántas veces he quedado aplastado durante horas, en un rincón oscuro del taller, después de leer una noticia en la sección policial! Pero la verdad es que no siempre lo más vergonzoso de la raza humana aparece allí; hasta cierto punto, los criminales son gente más limpia, más inofensiva; esta afirmación no la hago porque yo mismo haya matado a un ser humano: es una honesta y profunda convicción. ¿Un individuo es pernicioso? Pues se lo liquida y se acabó.[3] Eso es lo que yo llamo una *buena acción*. Piensen cuánto peor es para la sociedad que ese individuo siga destilando su veneno y que en vez de eliminarlo se quiera contrarrestar su acción recurriendo a anónimos, maledicencia y otras bajezas semejantes. En lo que a mí se refiere,[4]

---

[1] **Aunque ... gente**   Although, not even the devil knows what people will remember.
[2] **las ... olvido**   forgets them.
[3] **y se acabó.**   and that's that.
[4] **En ... refiere**   As far as I'm concerned.

debo confesar que ahora lamento no haber aprovechado mejor el tiempo de mi libertad, liquidando a seis o siete tipos que conozco.

Que el mundo es horrible, es una verdad que no necesita demos- 30 tración. Bastaría un hecho para probarlo, en todo caso: hace un tiempo[5] leí que en un campo de concentración un ex pianista se quejó de hambre y entonces lo obligaron a comerse una rata, *pero viva.*

No es de eso, sin embargo, de lo que quiero hablar ahora; ya diré 35 más adelante, si hay ocasión, algo más sobre este asunto de la rata.

II

Como decía, me llamo Juan Pablo Castel. Podrán preguntarse qué me mueve a escribir la historia de mi crimen (no sé si ya dije que voy a relatar mi crimen) y, sobre todo, a buscar un editor. Conozco bastante bien el alma humana para prever que pensarán en la vanidad. Piensen lo que quieran: me importa un bledo[6]; hace rato 5 que me importan un bledo la opinión y la justicia de los hombres. Supongan, pues, que publico esta historia por vanidad. Al fin de cuentas[7] estoy hecho de carne, huesos, pelo y uñas como cualquier otro hombre y me parecería muy injusto que exigiesen de mí, precisamente de mí, cualidades especiales; uno se cree a veces un super- 10 hombre, hasta que advierte que también es mezquino, sucio y pérfido. De la vanidad no digo nada: creo que nadie está desprovisto de este notable motor del Progreso Humano. Me hacen reír esos señores que salen con la modestia de Einstein o gente por el estilo; respuesta: *es fácil ser modesto cuando se es célebre;* quiero decir *parecer* mo- 15 desto. Aun cuando se imagina que no existe en absoluto, se la descubre de pronto en su forma más sutil: la vanidad de la modestia. ¡Cuántas veces tropezamos con esa clase de individuos! Hasta un hombre, real o simbólico, como Cristo, el ser ante quien he sentido y aún hoy siento una reverencia más profunda, pronunció palabras 20 sugeridas por la vanidad o al menos por la soberbia. ¿Qué decir de León Bloy,[8] que se defendía de la acusación de soberbia argumen-

---

[5] **hace un tiempo** some time ago.
[6] **Piensen . . . bledo** Let them think what they like; it doesn't bother me.
[7] **Al fin de cuentas** After all.
[8] **León Bloy** (1846–1917), *French author and social reformer.*

tando que se había pasado la vida sirviendo a individuos que no le llegaban a las rodillas?[9] La vanidad se encuentra en los lugares más inesperados: al lado de la bondad, de la abnegación, de la generosidad. 25 Cuando yo era chico y me desesperaba ante la idea de que mi madre debía morirse un día (con los años se llega a saber[10] que la muerte no sólo es soportable sino hasta reconfortante), no imaginaba que mi madre pudiese tener defectos. Ahora que no existe, debo decir que fue tan buena como puede llegar a serlo un ser humano.[11] Pero 30 recuerdo, en sus últimos años, cuando yo era un hombre, cómo al comienzo me dolía descubrir debajo de sus mejores acciones un sutilísimo ingrediente de vanidad o de orgullo. Algo mucho más demostrativo me sucedió a mí mismo cuando la operaron de cáncer. Para llegar a tiempo tuve que viajar dos días enteros sin dormir. 35 Cuando llegué al lado de su cama, su rostro de cadáver logró sonreírme levemente, con ternura, y murmuró unas palabras para compadecerme (¡ella se compadecía de mi cansancio!).[12] Y yo sentí dentro de mí, oscuramente, el vanidoso orgullo de haber acudido tan pronto. Confieso este secreto para que vean hasta qué punto no me 40 creo mejor que los demás.

Sin embargo, no relato esta historia por vanidad. Quizá estaría dispuesto a aceptar que hay algo de orgullo o de soberbia. Pero ¿por qué esa manía de querer encontrar explicación a todos los actos de la vida? Cuando comencé este relato estaba firmemente decidido a no 45 dar explicaciones de ninguna especie. Tenía ganas de contar la historia de mi crimen, y se acabó: al que no le gustara, que no la leyese.[13] Aunque no lo creo, porque precisamente esa gente que siempre anda detrás de las explicaciones[14] es la más curiosa y pienso que ninguno de ellos se perderá la oportunidad de leer la historia de 50 un crimen hasta el final.

Podría reservarme los motivos que me movieron a escribir estas páginas de confesión; pero como no tengo interés en pasar por excéntrico, diré la verdad, que de todos modos es bastante simple: pensé que podrían ser leídas por mucha gente, ya que ahora soy 55 célebre; y aunque no me hago muchas ilusiones acerca de las páginas

---

[9] **que . . . rodillas?** that didn't come up to his bootstraps?
[10] **con . . . saber** as time goes by one comes to learn.
[11] **que . . . humano** that she was as good as any human being can be.
[12] **¡ella . . . cansancio!** she felt sorry for me because *I* was tired!
[13] **al que . . . leyese** whoever didn't like it didn't have to read it.
[14] **esa . . . explicaciones** those people who are always looking for explanations.

en particular, me anima la débil esperanza de humanidad en general y acerca de los lectores de éstas[15] que alguna persona llegue a entenderme. AUNQUE SEA UNA SOLA PERSONA.

"¿Por qué —se podrá preguntar alguien— apenas una débil esperanza si el manuscrito ha de ser leído por tantas personas?" Este es el género de preguntas que considero inútiles. Y no obstante hay que preverlas,[16] porque la gente hace constantemente preguntas inútiles, preguntas que el análisis más superficial revela innecesarias. Puedo hablar hasta el cansancio[17] y a gritos delante de una asamblea de cien mil rusos: nadie me entendería. ¿Se dan cuenta de lo que quiero decir?[18]

Existió una persona que podría entenderme. *Pero fue, precisamente, la persona que maté.*

III

Todos saben que maté a María Iribarne Hunter. Pero nadie sabe cómo la conocí, qué relaciones hubo exactamente entre nosotros y cómo fui haciéndome a la idea[19] de matarla. Trataré de relatar todo imparcialmente porque, aunque sufrí mucho por su culpa,[20] no tengo la necia pretensión de ser perfecto.

En el Salón de Primavera de 1946 presenté un cuadro llamado *Maternidad*. Era por el estilo[21] de muchos otros anteriores: como dicen los críticos en su insoportable dialecto, era sólido, estaba bien arquitecturado. Tenía, en fin, los atributos que esos charlatanes encontraban siempre en mis telas, incluyendo "cierta cosa profundamente intelectual". Pero arriba, a la izquierda, a través de una ventanita, se veía una escena pequeña y remota: una playa solitaria y una mujer que miraba el mar. Era una mujer que miraba como esperando algo, quizá algún llamado apagado y distante.[22] La escena sugería, en mi opinión, una soledad ansiosa y absoluta.

[15] **y acerca . . . éstas** and with respect to the readers of these (pages).
[16] **Y . . . preverlas** And nevertheless you have to anticipate them.
[17] **Puedo . . . cansancio** I can talk till I'm blue in the face.
[18] **Se . . . decir?** Do you see what I mean?
[19] **fui . . . idea** I evolved the idea.
[20] **por su culpa** because of her.
[21] **Era por el estilo** It was in the same style.
[22] **algún . . . distante** a muffled, distant call.

Nadie se fijó en esta escena: pasaban la mirada por encima,[23] como por algo secundario, probablemente decorativo. Con excepción de una sola persona, nadie pareció comprender que esa escena constituía algo esencial. Fue el día de la inauguración. Una muchacha desconocida estuvo mucho tiempo delante de mi cuadro sin dar [20] importancia, en apariencia, a la gran mujer en primer plano, la mujer que miraba jugar al niño. En cambio, miró fijamente la escena de la ventana y mientras lo hacía tuve la seguridad de que estaba aislada del mundo entero: no vio ni oyó a la gente que pasaba o se detenía frente a mi tela. [25]

La observé todo el tiempo con ansiedad. Después desapareció en la multitud, mientras yo vacilaba entre un miedo invencible y un angustioso deseo de llamarla. ¿Miedo de qué? Quizá, algo así como miedo de jugar todo el dinero de que se dispone en la vida a un solo número.[24] Sin embargo, cuando desapareció, me sentí irritado, infeliz, [30] pensando que podría no verla más,[25] perdida entre los millones de habitantes anónimos de Buenos Aires.

Esa noche volví a casa nervioso, descontento, triste.

Hasta que se clausuró el salón, fui todos los días y me colocaba suficientemente cerca para reconocer a las personas que se detenían [35] frente a mi cuadro. Pero no volvió a aparecer.

Durante los meses que siguieron, sólo pensé en ella, en la posibilidad de volver a verla. Y, en cierto modo, sólo pinté para ella. Fue como si la pequeña escena de la ventana empezara a crecer y a invadir toda la tela y toda mi obra. [40]

IV

Una tarde, por fin, la vi por la calle. Caminaba por la otra vereda, en forma resuelta, como quien tiene que llegar a un lugar definido a una hora definida.

La reconocí inmediatamente; podría haberla reconocido en medio de una multitud.[26] Sentí una indescriptible emoción. Pensé tanto en [5]

[23] **pasaban . . . encima** they glanced over it.
[24] **miedo . . . número** afraid of gambling all the money one ever had in a lifetime on one single number.
[25] **pensando . . . más** thinking that I might possibly never see her again.
[26] **podría . . . multitud** I could have recognized her in the middle of a crowd.

ella, durante esos meses, imaginé tantas cosas, que al verla, no supe qué hacer.

La verdad es que muchas veces había pensado y planeado minuciosamente mi actitud en caso de encontrarla.[27] Creo haber dicho que soy muy tímido; por eso había pensado y repensado un probable encuentro y la forma de aprovecharlo.[28] La dificultad mayor con que siempre tropezaba en esos encuentros imaginarios era la forma de entrar en conversación. Conozco muchos hombres que no tienen dificultad en establecer conversación con una mujer desconocida. Confieso que en un tiempo les tuve mucha envidia,[29] pues, aunque nunca fui mujeriego, o precisamente por no haberlo sido, en dos o tres oportunidades lamenté no poder comunicarme con una mujer, en esos pocos casos en que parece imposible resignarse a la idea de que será para siempre ajena a nuestra vida. Desgraciadamente, estuve condenado a permanecer ajeno a la vida de cualquier mujer.

En esos encuentros imaginarios había analizado diferentes posibilidades. Conozco mi naturaleza y sé que las situaciones imprevistas y repentinas me hacen perder todo sentido, a fuerza de atolondramiento y de timidez.[30] Había preparado, pues, algunas variantes que eran lógicas o por lo menos posibles: (No es lógico que un amigo íntimo le mande a uno un anónimo insultante, pero todos sabemos que es posible.)

La muchacha, por lo visto, solía ir a salones de pintura. En caso de encontrarla en uno, me pondría a su lado y no resultaría demasiado complicado[31] entrar en conversación a propósito de alguno de los cuadros expuestos.

Después de examinar en detalle esta posibilidad, la abandoné. *Yo nunca iba a salones de pintura.* Puede parecer muy extraña esta actitud en un pintor, pero en realidad tiene explicación y tengo la certeza de que si me decidiese a darla todo el mundo me daría la razón.[32] Bueno, quizá exagero al decir "todo el mundo." No, *seguramente* exagero. La experiencia me ha demostrado que lo que a mí me parece claro y evidente casi nunca lo es para el resto de mis semejantes. Estoy tan quemado que ahora vacilo mil veces antes de

[27] **en caso de encontrarla**   in the event that I should meet her.
[28] **y la ... aprovecharlo**   and the way of taking advantage of it.
[29] **les tuve mucha envidia**   I was very envious of them.
[30] **a fuerza ... timidez**   because I would feel overwhelmed and timid.
[31] **no ... complicado**   it wouldn't be too difficult.
[32] **todo ... razón**   everyone would say I was right.

ponerme a justificar o a explicar una actitud mía y, casi siempre, [40]
termino por encerrarme en mí mismo[33] y no abrir la boca.
Esa ha sido justamente la causa de que no me haya decidido hasta hoy a hacer el
relato de mi crimen. Tampoco sé, en este momento, si valdrá la pena
que explique en detalle este rasgo mío referente a los salones, pero
temo que, si no lo explico, crean que es una mera manía, cuando en [45]
verdad obedece a razones muy profundas.

Realmente, en este caso hay más de una razón. Diré, antes que
nada, que detesto los grupos, las sectas, las cofradías, los gremios y
en general esos conjuntos de bichos que se reúnen por razones de
profesión, de gusto o de manía semejante. Esos conglomerados tienen [50]
una cantidad de atributos grotescos: la repetición del tipo, la jerga, la
vanidad de creerse superiores al resto de los hombres.

Observo que se está complicando el problema, pero no veo la
manera de simplificarlo. Por otra parte, el que quiera dejar de leer
esta narración en este punto no tiene más que hacerlo: de una vez [55]
por todas le hago saber que cuenta con mi permiso más absoluto.[34]

¿Qué quiero decir con eso de "repetición del tipo"? Habrán observado qué desagradable es encontrarse con alguien que a cada
instante guiña un ojo o tuerce la boca. Pero, ¿imaginan a todos esos
individuos reunidos en un club? No hay necesidad de llegar a esos [60]
extremos, sin embargo: basta observar las familias numerosas, donde
se repiten ciertos rasgos, ciertos gestos, ciertas entonaciones de voz.
Me ha sucedido estar enamorado de una mujer (anónimamente,
claro) y huir espantado ante la posibilidad de conocer a las hermanas.
Me había pasado ya algo horrendo en otra oportunidad: encontré [65]
rasgos muy interesantes en una mujer, pero al conocer a una hermana
quedé deprimido y avergonzado por mucho tiempo: los mismos rasgos
que en aquélla me habían parecido admirables aparecían acentuados
y deformados en la hermana, un poco caricaturizados; pero no exa-
geradamente: si lo hubieran sido demasiado, habría terminado por [70]
dar *otra cosa*,[35] mientras que lo eran suficientemente para provocar
una sensación de ridículo. Y esa especie de visión deformada de la
primera mujer en su hermana me produjo, además de esa sensación,
un sentimiento de vergüenza, como si en parte yo fuera culpable de

---

[33] **termino . . . mismo**   I end up by keeping it all inside.
[34] **de una . . . absoluto**   once and for all, I want him to know that he has my absolute
permission.
[35] **por dar otra cosa**   by producing something else.

la luz levemente ridícula que la hermana echaba sobre la mujer que 75
tanto había admirado.

Quizá cosas así me pasen por ser pintor, porque he notado que la
gente no da importancia a estas deformaciones de familia. Debo
agregar que algo parecido me sucede con esos pintores que imitan a
un gran maestro, como por ejemplo esos malhadados infelices que 80
pintan a la manera de Picasso.

Después, está el asunto de la jerga, otra de las características que
menos soporto. Basta examinar cualquiera de los ejemplos: el psicoanálisis, el comunismo, el fascismo, el periodismo. No tengo preferen-
cias; todos me son repugnantes. Tomo el ejemplo que se me ocurre 85
en este momento: el psicoanálisis. El doctor Prato tiene mucho talento
y lo creía un verdadero amigo, hasta tal punto que sufrí un terrible
desengaño cuando todos empezaron a perseguirme y él se unió a esa
gentuza; pero dejemos esto. Un día, apenas llegué al consultorio,
Prato me dijo que debía salir y me invitó a ir con él: 90

—¿A dónde? —le pregunté.

—A un cóctel de la Sociedad —respondió.

—¿De qué Sociedad? —pregunté con oculta ironía, pues me revienta[36] esa forma de emplear el artículo determinado que tienen
todos ellos: *la* Sociedad, por la Sociedad Psicoanalítica; *el* Partido, 95
por el Partido Comunista; *la* Séptima, por la Séptima Sinfonía de
Beethoven.

Me miró extrañado, pero yo sostuve su mirada con ingenuidad.

—La Sociedad Psicoanalítica, hombre —respondió, mirándome
con esos ojos penetrantes que los freudianos creen obligatorios en su 100
profesión, y como si también se preguntara: "¿qué otra chifladura le
está empezando a este tipo?"[37]

Recordé haber leído algo sobre una reunión o congreso presidido
por un doctor Bernard o Bertrand. Con la convicción de que no podía
ser eso, le pregunté si era eso. Me miró con una sonrisa despectiva. 5

—Son unos charlatanes —comentó—. La única sociedad psicoanalítica reconocida internacionalmente es la nuestra.

Volvió a entrar en su escritorio, buscó en un cajón y finalmente me
mostró una carta en inglés. La miré por cortesía.

—No sé inglés —expliqué. 10

[36] **me revienta**   annoys me no end.
[37] **¿qué ... tipo?**   "what nonsense is this character coming up with next?"

—Es una carta de Chicago. Nos acredita como la única sociedad de psicoanálisis en la Argentina.

Puse cara de admiración[38] y profundo respeto, mientras en algún lugar de mi cerebro aparecía, sorprendentemente, el conocido rostro de León Trotsky con su barbita. Ahora pienso que a causa de la 15 automática vinculación que se estableció en mi espíritu con otra Ortodoxia y otra Internacional.

Luego salimos y fuimos en automóvil hasta el local. Había una cantidad de gente. A algunos los conocía de nombre, como al doctor Goldenberg, que últimamente había tenido mucho renombre: a raíz 20 de[39] haber intentado curar a una mujer los metieron a los dos en el manicomio. Acababa de salir. Lo miré atentamente, pero no me pareció peor que los demás; hasta me pareció más calmo, tal vez como resultado del encierro. Me elogió los cuadros de tal manera que comprendí que los detestaba. 25

El ambiente era tan elegante que me avergoncé de mi traje viejo y mis pantalones con rodilleras. Pasé una hora horrible. Empecé a notar algo ridículo, ya que todo era tan refinado y elegante. En cuanto pude escapar a la calle, sentí rabia y risa a la vez, sobre todo cuando me volví a hallar entre las cosas habituales: gente que iba a sus 30 negocios, vendedores de diarios, una tienda, un vigilante. Todo hacía más increíble que en lugar tan cercano hubiera gente así, encerrada y comiendo sándwiches. Mi furia era mayor porque no acertaba a dar con la causa de mi malestar[40] y de la idea de que toda esa reunión tenía algo fundamentalmente grotesco. Hasta que creí encontrar la 35 clave: el contraste entre un ambiente tan limpio (piso encerado, muebles nuevos y relucientes, trajes elegantes, señoritas finísimas) y el lenguaje esencialmente sucio que empleaban con tanta naturalidad. Recordé, entonces, que mi inexplicable sensación había alcanzado el máximo cuando una hermosa dama, mientras me ofrecía un plato 40 con sándwiches, decía lateralmente a un colega:

—En ese sueño domina el símbolo fálico.

Quise buscar refugio en alguna parte, pero el departamento no era grande y estaba atestado de psicoanalistas y admiradores; y como otra

---

[38] **Puse cara de admiración** I feigned admiration.
[39] **a raíz de** soon after.
[40] **porque . . . malestar** because I couldn't quite figure out the reason for my discomfort.

característica de las sectas es que no saben hablar sino de su manía, 45
en cualquier rincón se oían cosas semejantes.

Sin embargo, de todos los conglomerados detesto particularmente
el de los pintores. En parte, naturalmente, porque es el que más
conozco y ya se sabe que uno puede detestar con mayor razón lo que
se conoce a fondo. Pero tengo otra razón: LOS CRÍTICOS. Es una 50
plaga que nunca pude entender. Si yo fuera un gran cirujano, y un
señor que jamás ha manejado un bisturí, ni es médico ni ha entabli-
llado la pata de un gato, viniera a explicarme los errores de mi operación, ¿qué se pensaría? Lo mismo pasa con la pintura. Lo singular
es que la gente no advierte que es lo mismo y aunque se ría de las 55
pretensiones del crítico de cirugía, escucha con un increíble respeto a
esos charlatanes. Se podría escuchar con cierto respeto los juicios de
un crítico que alguna vez haya pintado, aunque más no fuera que
telas mediocres.[41] Pero aun en ese caso sería absurdo, pues ¿cómo
puede encontrarse razonable que un pintor mediocre dé consejos a 60
uno bueno?

V

Me he apartado de mi camino.[42] Pero es por mi maldita costumbre
de querer justificar cada uno de mis actos. ¿A qué diablos explicar la
razón de que no fuera a salones de pintura? Me parece que cada uno
tiene derecho a asistir o no, si le da la gana, sin necesidad de presentar
un extenso alegato justificatorio. ¿A dónde se llegaría, si no, con 5
semejante manía? Pero, en fin, ya está hecho, aunque todavía tendría
mucho que decir acerca de ese asunto de las exposiciones: las habla-
durías de los colegas, la ceguera del público, la imbecilidad de los
encargados de preparar el salón y distribuir los cuadros. Felizmente
(o desgraciadamente) ya todo eso no me interesa; de otro modo 10
quizá escribiría un largo ensayo titulado *De la forma en que el pintor
debe defenderse de los amigos de la pintura.*

Debía descartar, pues, la posibilidad de encontrarla en una exposición.

Podía suceder, en cambio, que ella tuviera un amigo que a su vez 15
fuese amigo mío. En ese caso, bastaría con una simple presentación.
Encandilado con la desagradable luz de la timidez, me eché gozosa-

---

[41] **aunque . . . mediocres** even if they were only mediocre canvases.
[42] **Me . . . camino** I have gotten off the track.

mente en brazos de esa posibilidad.[43] ¡Una simple presentación! ¡Qué fácil se volvía todo, qué amable! El encandilamiento me impidió ver inmediatamente lo absurdo de semejante idea. No pensé en aquel [20] momento que encontrar un amigo suyo era tan difícil como encontrarla a ella misma, porque es evidente que sería imposible encontrar un amigo sin saber quién era ella. Pero si sabía quién era ella ¿para qué recurrir a un tercero? Quedaba, es cierto, la pequeña ventaja de la presentación, que yo no desdeñaba. Pero, evidentemente, el proble- [25] ma básico era hallarla a ella y *luego,* en todo caso, buscar un amigo común para que nos presentara.

Quedaba el camino inverso: ver si alguno de mis amigos era, por azar, amigo de ella. Y eso sí podía hacerse sin hallarla previamente, pues bastaría con interrogar a cada uno de mis conocidos acerca de [30] una muchacha de tal estatura y de pelo así y así. Todo esto, sin embargo, me pareció una especie de frivolidad y lo deseché; me avergonzó el sólo imaginar que hacía preguntas de esa naturaleza a gentes como Mapelli o Lartigue.

Creo conveniente dejar establecido que no descarté esta variante [35] por descabellada; sólo lo hice por las razones que acabo de exponer. Alguno podría creer, efectivamente, que es descabellado imaginar la remota posibilidad de que un conocido mío fuera a la vez conocido de ella. Quizá lo parezca a un espíritu superficial, pero no a quien está acostumbrado a reflexionar sobre los problemas humanos. Existen en [40] la sociedad *estratos horizontales,* formados por las personas de gustos semejantes, y en esos estratos los encuentros casuales (?) no son raros, sobre todo cuando la causa de la estratificación es alguna característica de minorías. Me ha sucedido encontrar una persona en un barrio de Berlín, luego en un pequeño lugar casi desconocido de [45] Italia y, finalmente, en una librería de Buenos Aires. ¿Es razonable atribuir al azar estos encuentros repetidos? Pero estoy diciendo una trivialidad: lo sabe cualquier persona aficionada a la música, al esperanto, al espiritismo.

Había que caer, pues, en la posibilidad más temida: al encuentro [50] en la calle. ¿Cómo demonios hacen ciertos hombres para detener a una mujer, para entablar conversación y hasta para iniciar una aventura? Descarté sin más cualquier combinación que comenzara con una iniciativa mía: mi ignorancia de esa técnica callejera y mi cara me indujeron a tomar esa decisión melancólica y definitiva. [55]

---

[43] **me ... posibilidad** I gladly surrendered to that possibility.

No quedaba sino[44] esperar una feliz circunstancia, de esas que suelen presentarse cada millón de veces: que ella hablara primero. De modo que mi felicidad estaba librada a una remotísima lotería, en la que había que ganar una vez para tener derecho a jugar nuevamente y sólo recibir el premio en el caso de ganar en esta segunda 60 jornada. Efectivamente, tenía que darse la posibilidad[45] de encontrarme con ella en la calle y luego la posibilidad, todavía más improbable, de que ella me dirigiera la palabra. Sentí una especie de vértigo, de tristeza y desesperanza. Pero, no obstante, seguí preparando mi posición. 65

Imaginaba, pues, que ella me hablaba, por ejemplo para preguntarme una dirección o acerca de un ómnibus; y a partir de esa frase inicial[46] yo construí durante meses de reflexión, de melancolía, de rabia, de abandono y de esperanza, una serie interminable de variantes. En alguna yo era locuaz, dicharachero (nunca lo he sido, en 70 realidad); en otra era parco; en otras me imaginaba risueño. A veces, lo que es sumamente singular, contestaba bruscamente a la pregunta de ella y hasta con rabia contenida; sucedió (en alguno de esos encuentros imaginarios) que la entrevista se malograra por irritación absurda de mi parte, por reprocharle casi groseramente una consulta 75 que yo juzgaba inútil o irreflexiva. Estos encuentros fracasados me dejaban lleno de amargura, y durante varios días me reprochaba la torpeza con que había perdido una oportunidad tan remota de entablar relaciones con ella; felizmente, terminaba por advertir que todo eso era imaginario y que al menos seguía quedando la posibilidad 80 real. Entonces volvía a prepararme con más entusiasmo y a imaginar nuevos y más fructíferos diálogos callejeros. En general la dificultad mayor estribaba en vincular la pregunta de ella con algo tan general y alejado de las preocupaciones diarias como la esencia general del arte o, por lo menos, la impresión que le había producido mi ventanita. Por supuesto, si se tiene tiempo y tranquilidad, siempre es posible 85 establecer lógicamente, sin que choque, esa clase de vinculaciones; en una reunión social sobra el tiempo y en cierto modo se está para establecer esa clase de vinculaciones entre temas totalmente ajenos; pero en el ajetreo de una calle de Buenos Aires, entre gentes que 90

---

[44] **No quedaba sino** The only thing that remained was.
[45] **tenía . . . posibilidad** the possibility had to come up.
[46] **y a . . . inicial** and beginning with that first sentence.

corren colectivos y que lo llevan a uno por delante,[47] es claro que había que descartar casi ese tipo de conversación. Pero por otro lado no podía descartarla sin caer en una situación irremediable para mi destino. Volvía, pues, a imaginar diálogos, los más eficaces y rápidos posibles, que llevaran desde la frase[48] "¿Dónde queda el Correo [95] Central?" hasta la discusión de ciertos problemas del expresionismo o del superrealismo. No era nada fácil.[49]

Una noche de insomnio llegué a la conclusión de que era inútil y artificioso intentar una conversación semejante y que era preferible atacar bruscamente el punto central, con una pregunta valiente, [100] jugándome todo a un solo número. Por ejemplo, preguntando: "¿Por qué miró solamente la ventanita?" Es común que en las noches de insomnio sea teóricamente más decidido que durante el día, en los hechos. Al otro día, al analizar fríamente esta posibilidad, concluí que jamás tendría suficiente valor para hacer esa pregunta a boca [5] de jarro.[50] Como siempre, el desaliento me hizo caer en el otro extremo: imaginé entonces una pregunta tan indirecta que para llegar al punto que me interesaba (la ventana) casi se requería una larga amistad: una pregunta del género de "¿Tiene interés en el arte?" [10]

No recuerdo ahora todas las variantes que pensé. Sólo recuerdo que había algunas tan complicadas que eran prácticamente inservibles. Sería un azar demasiado portentoso que la realidad coincidiera luego con una llave tan complicada, preparada de antemano ignorando la forma de la cerradura. Pero sucedía que cuando había [15] examinado tantas variantes enrevesadas, me olvidaba del orden de las preguntas y respuestas o las mezclaba, como sucede en el ajedrez cuando uno imagina partidas de memoria.[51] Y también resultaba a menudo que reemplazaba frases de una variante con frases de otra, con resultados ridículos o desalentadores. Por ejemplo, detenerla [20] para darle una dirección y en seguida preguntarle: "¿Tiene mucho interés en el arte?" Era grotesco.

Cuando llegaba a esta situación descansaba por varios días de barajar combinaciones.

---

[47] **gentes . . . delante**   people who operate buses and run you over.
[48] **que . . . frase**   that would lead from the question.
[49] **No era nada fácil.**   It wasn't easy.
[50] **para . . . jarro**   to come right out and ask that question point-blank.
[51] **partidas de memoria**   mental games.

VI

Al verla caminar por la vereda de enfrente, todas las variantes se amontonaron y revolvieron en mi cabeza. Confusamente, sentí que surgían a mi conciencia frases íntegras elaboradas y aprendidas en aquella larga gimnasia preparatoria: "¿Tiene mucho interés en el arte?", "¿Por qué miró sólo la ventanita?", etcétera. Con más insistencia que ninguna otra, surgía una frase que yo había desechado por grosera y que en ese momento me llenaba de vergüenza y me hacía sentir aún más ridículo: "¿Le gusta Castel?"

Las frases, sueltas y mezcladas, formaban un tumultuoso rompecabezas en movimiento,[52] hasta que comprendí que era inútil preocuparme de esa manera: recordé que era ella quien debía tomar la iniciativa de cualquier conversación. Y desde ese momento me sentí estúpidamente tranquilizado; y hasta creo que llegué a pensar, también estúpidamente: "Vamos a ver ahora cómo se las arreglará."[53]

Mientras tanto, y a pesar de ese razonamiento, me sentía tan nervioso y emocionado que no atinaba a otra cosa que a seguir su marcha por la vereda de enfrente,[54] sin pensar que si quería darle al menos la hipotética posibilidad de preguntarme una dirección tenía que cruzar la vereda y acercarme. Nada más grotesco, en efecto, que suponerla pidiéndome a gritos, desde allá, una dirección.

¿Qué haría? ¿Hasta cuándo duraría esa situación? Me sentí infinitamente desgraciado. Caminamos varias cuadras. Ella siguió caminando con decisión.

Estaba muy triste, pero tenía que seguir hasta el fin: no era posible que después de haber esperado este instante durante meses dejase escapar la oportunidad. Y el andar rápidamente mientras mi espíritu vacilaba tanto me producía una sensación singular: mi pensamiento era como un gusano ciego y torpe dentro de un automóvil a gran velocidad.

Dio vuelta en la esquina de San Martín, caminó unos pasos y entró en el edificio de la Compañía T. Comprendí que tenía que

---

[52] **rompecabezas en movimiento**   a moving jigsaw puzzle.
[53] **"Vamos . . . arreglará"**   Let's see how she manages now.
[54] **por . . . enfrente**   on the opposite side of the street.

decidirme rápidamente y entré detrás, aunque sentí que en esos momentos estaba haciendo algo desproporcionado y monstruoso. Esperaba el ascensor. No había nadie más. Alguien más audaz [35] que yo pronunció desde mi interior esta pregunta increíblemente estúpida:

—¿Este es el edificio de la Compañía T.?

Un cartel de varios metros de largo, que abarcaba todo el frente del edificio, proclamaba que, en efecto, ése era el edificio de la [40] Compañía T.

No obstante, ella se dio vuelta con sencillez y me respondió afirmativamente. (Más tarde, reflexionando sobre mi pregunta y sobre la sencillez y tranquilidad con que ella me respondió, llegué a la conclusión de que, al fin y al cabo, sucede que muchas veces uno [45] no ve carteles demasiado grandes; y que, por lo tanto, la pregunta no era tan irremediablemente estúpida como había pensado en los primeros momentos.)

Pero en seguida, al mirarme, se sonrojó tan intensamente, que comprendí me había reconocido. Una variante que jamás había [50] pensado y sin embargo muy lógica, pues mi fotografía había aparecido muchísimas veces en revistas y diarios.

Me emocioné tanto que sólo atiné a otra pregunta desafortunada; le dije bruscamente:

—¿Por qué se sonroja? [55]

Se sonrojó aún más e iba a responder quizá algo cuando, ya completamente perdido el control, agregué atropelladamente:

—Usted se sonroja porque me ha reconocido. Y usted cree que esto es una casualidad, pero no es una casualidad; nunca hay casualidades. He pensado en usted varios meses. Hoy la encontré por la [60] calle y la seguí. Tengo algo importante que preguntarle, algo referente a la ventanita, ¿comprende?

Ella estaba asustada:

—¿La ventanita? —balbuceó—. ¿Qué ventanita?

Sentí que se me aflojaban las piernas.[55] ¿Era posible que no la [65] recordara? Entonces no le había dado la menor importancia, la había mirado por simple curiosidad. Me sentí grotesco y pensé vertiginosamente que todo lo que había pensado y hecho durante esos meses (incluyendo esta escena) era el colmo de la desproporción y

---

[55] **Sentí . . . piernas** I felt my legs become weak.

del ridículo, una de esas típicas construcciones imaginarias mías, tan 70
presuntuosas como esas reconstrucciones de un dinosaurio realizadas
a partir de una vértebra rota.[56]

La muchacha estaba próxima al llanto. Pensé que el mundo se
me venía abajo,[57] sin que yo atinara a nada tranquilo o eficaz. Me
encontré diciendo algo que ahora me avergüenza escribir: 75

—Veo que me he equivocado. Buenas tardes.

Salí apresuradamente y caminé casi corriendo en una dirección
cualquiera. Habría caminado una cuadra cuando oí detrás una voz
que me decía:

—¡Señor, señor! 80

Era ella, que me había seguido sin animarse a detenerme. Ahí
estaba y no sabía cómo justificar lo que había pasado. En voz baja,
me dijo:

—Perdóneme, señor... Perdone mi estupidez... Estaba tan
asustada... 85

El mundo había sido, hacía unos instantes, un caos de objetos y
seres inútiles. Sentí que volvía a rehacer y a obedecer a un orden.
La escuché mudo.

—No advertí que usted preguntaba por la escena del cuadro
—dijo temblorosamente. 90

Sin darme cuenta, la agarré de un brazo.

—¿Etonces la recuerda?

Se quedó un momento sin hablar, mirando el suelo. Luego dijo
con lentitud:

—La recuerdo constantemente. 95

Después sucedió algo curioso: pareció arrepentirse de lo que había
dicho porque se volvió bruscamente y echó casi a correr. Al cabo de
un instante de sorpresa corrí tras ella, hasta que comprendí lo ridículo de la escena; miré entonces a todos lados y seguí caminando con
paso rápido pero normal. Esta decisión fue determinada por dos 100
reflexiones: primero, que era grotesco que un hombre conocido
corriera por la calle detrás de una muchacha; segundo, *que no era
necesario*. Esto último era lo esencial: podría verla en cualquier
momento, a la entrada o a la salida de la oficina. ¿A qué correr
como loco? Lo importante, lo verdaderamente importante, era que 5
recordaba la escena de la ventana: "La recordaba constantemente."

[56] **a partir ... rota** starting with just a broken vertebra.
[57] **el mundo ... abajo** the world was collapsing.

Estaba contento, me hallaba capaz de grandes cosas y solamente me reprochaba el haber perdido el control al pie del ascensor y ahora, otra vez, al correr como un loco detrás de ella, cuando era evidente que podría verla en cualquier momento en la oficina.   10

VII

"¿En la oficina?", me pregunté de pronto en voz alta, casi a gritos, sintiendo que las piernas se me aflojaban de nuevo. ¿Y quién me había dicho que trabajaba en esa oficina? ¿Acaso sólo entra en una oficina la gente que trabaja allí? La idea de perderla por varios meses más, o quizá para siempre, me produjo un vértigo y ya sin reflexiones   5 sobre las conveniencias corrí como un desesperado; pronto me encontré en la puerta de la Compañía T. y ella no se veía por ningún lado.[58] ¿Habría tomado ya el ascensor? Pensé interrogar al ascensorista, pero ¿cómo preguntarle? Podían haber subido ya muchas mujeres y tendría entonces que especificar detalles: ¿qué pensaría el   10 ascensorista? Caminé un rato por la vereda, indeciso. Luego crucé a la otra vereda y examiné el frente del edificio, no comprendo por qué. ¿Quizá con la vaga esperanza de ver asomarse a la muchacha por una ventana? Sin embargo era absurdo pensar que pudiera asomarse para hacerme señas o cosas por el estilo.[59] Sólo vi el   15 gigantesco cartel que decía:

COMPAÑÍA T.

Juzgué a ojo que debería abarcar unos veinte metros de frente; este cálculo aumentó mi malestar. Pero ahora no tenía tiempo de entregarme a ese sentimiento: ya me torturaría más tarde, con tran-   20 quilidad. Por el momento no vi otra solución que entrar. Enérgicamente, penetré en el edificio y esperé que bajara el ascensor; pero a medida que bajaba noté que mi decisión disminuía, al mismo tiempo que mi habitual timidez crecía tumultuosamente. De modo que cuando la puerta del ascensor se abrió ya tenía perfectamente de-   25 cidido lo que debía hacer: *no diría una sola palabra*. Claro que, en ese caso, ¿para qué tomar el ascensor? Resultaba violento, sin

---

[58] **y ella ... lado**   and she was nowhere to be seen.
[59] **que ... estilo**   that she would look out and wave to me or do something else of the sort.

embargo, no hacerlo, después de haber esperado visiblemente en compañía de varias personas. ¿Cómo se interpretaría un hecho semejante? No encontré otra solución que tomar el ascensor, manteniendo, 30 claro, mi punto de vista de *no pronunciar una sola palabra;* cosa perfectamente factible y hasta más normal que lo contrario: lo corriente es que nadie tenga la obligación de hablar en el interior de un ascensor, a menos que uno sea amigo del ascensorista, en cuyo caso es natural preguntarle por el tiempo o por el hijo enfermo. Pero 35 como yo no tenía ninguna relación y en verdad jamás hasta ese momento había visto a ese hombre, mi decisión de no abrir la boca no podía producir la más mínima complicación. El hecho de que hubiera varias personas facilitaba mi trabajo, pues lo hacía pasar inadvertido. 40

Entré tranquilamente al ascensor, pues, y las cosas ocurrieron como había previsto, sin ninguna dificultad; alguien comentó con el ascensorista el calor húmedo y este comentario aumentó mi bienestar, porque confirmaba mis razonamientos. Experimenté una ligera nerviosidad cuando dije "octavo", pero sólo podría haber sido notada 45 por alguien que estuviera enterado de los fines que yo perseguía en ese momento.

Al llegar al piso octavo, vi que otra persona salía conmigo, lo que complicaba un poco la situación; caminando con lentitud esperé que el otro entrara en una de las oficinas mientras yo todavía caminaba 50 a lo largo del pasillo. Entonces respiré tranquilo; di unas vueltas por el corredor,[60] fui hasta el extremo, miré el panorama de Buenos Aires por una ventana, me volví y llamé por fin el ascensor. Al poco rato estaba en la puerta del edificio sin que hubiera sucedido ninguna de las escenas desagradables que había temido (preguntas raras del 55 ascensorista, etcétera). Encendí un cigarrillo y no había terminado de encenderlo cuando advertí que mi tranquilidad era bastante absurda: era cierto que no había pasado nada desagradable, pero también era cierto que *no había pasado nada en absoluto.* En otras palabras más crudas: la muchacha estaba perdida, a menos que 60 trabajase regularmente en esas oficinas; pues si había entrado para hacer una simple gestión podía ya haber subido y bajado, desencontrándose conmigo. "Claro que —pensé— si ha entrado por una gestión es también posible que no la haya terminado en tan corto tiempo." Esta reflexión me animó nuevamente y decidí esperar al 65 pie del edificio.

[60] **di . . . corredor** I walked up and down the corridor.

Durante una hora estuve esperando sin resultado. Analicé las diferentes posibilidades que se presentaban:

1. La gestión era larga; en ese caso había que seguir esperando.
2. Después de lo que había pasado, quizá estaba demasiado ex- 70 citada y habría ido a dar una vuelta antes de hacer la gestión; también correspondía esperar.
3. Trabajaba allí; en este caso había que esperar hasta la hora de salida.

"De modo que esperando hasta esa hora —razoné— enfrento las 75 tres posibilidades."

Esta lógica me pareció de hierro y me tranquilizó bastante para decidirme a esperar con serenidad en el café de la esquina, desde cuya vereda podía vigilar la salida de la gente. Pedí cerveza y miré el reloj: eran las tres y cuarto. 80

A medida que fue pasando el tiempo me fui afirmando en la última hipótesis: trabajaba allí. A las seis me levanté, pues me parecía mejor esperar en la puerta del edificio: seguramente saldría mucha gente de golpe y era posible que no la viera desde el café.

A las seis y minutos empezó a salir el personal. 85

A las seis y media habían salido casi todos, como se infería del hecho de que cada vez raleaban más.[61] A las siete menos cuarto no salía casi nadie: solamente, de vez en cuando, algún alto empleado; a menos que ella fuera un alto empleado ("Absurdo", pensé) o secretaria de un alto empleado ("Eso sí", pensé con una débil 90 esperanza).

A las siete todo había terminado.

VIII

Mientras volvía a mi casa profundamente deprimido, trataba de pensar con claridad. Mi cerebro es un hervidero, pero cuando me pongo nervioso las ideas se me suceden como en un vertiginoso ballet; a pesar de lo cual, o quizá por eso mismo, he ido acostumbrándome a gobernarlas y ordenarlas rigurosamente; de otro modo 5 creo que no tardaría en volverme loco.

Como dije, volví a casa en un estado de profunda depresión, pero no por eso dejé de ordenar y clasificar las ideas, pues sentí que era necesario pensar con claridad si no quería perder para

---

[61] **cada vez raleaban más**   fewer people were leaving.

siempre a la única persona que evidentemente había comprendido [10] mi pintura.

O ella entró en la oficina para hacer una gestión, o trabajaba allí; no había otra posibilidad. Desde luego, esta última era la hipótesis más favorable. En este caso, al separarse de mí se habría sentido trastornada[62] y decidiría volver a su casa: Era necesario esperarla, [15] pues, al otro día, frente a la entrada.

Analicé luego la otra posibilidad: la gestión. Podría haber sucedido que, trastornada por el encuentro, hubiera vuelto a la casa y decidido dejar la gestión para el otro día. También en este caso correspondía esperarla en la entrada. [20]

Estas dos eran las posibilidades favorables. La otra era terrible: la gestión había sido hecha mientras yo llegaba al edificio y durante mi aventura de ida y vuelta en el ascensor. Es decir, que nos habíamos cruzado sin vernos. El tiempo de todo este proceso era muy breve y era muy improbable que las cosas hubieran sucedido de [25] este modo, pero era posible: bien podía consistir la famosa gestión en entregar una carta, por ejemplo. En tales condiciones creí inútil volver al otro día a esperar.

Había, sin embargo, dos posibilidades favorables y me aferré a ellas con desesperación. [30]

Llegué a mi casa con una mezcla de sentimientos: Por un lado, cada vez que pensaba en la frase que ella había dicho ("La recuerdo constantemente"), mi corazón latía con violencia y sentí que se me abría una oscura pero vasta y poderosa perspectiva; intuí que una gran fuerza, hasta ese momento dormida, se desencadenaría en mí. [35] Por otro lado imaginé que podía pasar mucho tiempo antes de volver a encontrarla. Era necesario encontrarla. Me encontré diciendo en alta voz, varias veces: "¡Es necesario, es necesario!"

IX

Al otro día, temprano, estaba ya parado frente a la puerta de entrada de las oficinas de T. Entraron todos los empleados, pero ella no apareció: era claro que no trabajaba allí, aunque restaba la débil hipótesis de que hubiera enfermado y no fuese a la oficina por varios días. [5]

---

[62] **se habría sentido trastornada** she had probably felt upset.

Quedaba, además, la posibilidad de la gestión, de manera que decidí esperar toda la mañana en el café de la esquina.

Había ya perdido toda esperanza (serían alrededor de las once y media) cuando la vi salir de la boca del subterráneo. Terriblemente agitado, me levanté de un salto y fui a su encuentro.[63] Cuando ella me vio, se detuvo como si de pronto se hubiera convertido en piedra: era evidente que no contaba con semejante aparición. Era curioso, pero la sensación de que mi mente había trabajado con un rigor férreo me daba una energía inusitada: me sentía fuerte, estaba poseído por una decisión viril y dispuesto a todo.[64] Tanto que la tomé de un brazo casi con brutalidad y, sin decir una sola palabra, la arrastré por la calle San Martín en dirección a la plaza. Parecía desprovista de voluntad; no dijo una sola palabra.

Cuando habíamos caminado unas dos cuadras, me preguntó:

—¿A dónde me lleva?

—A la plaza San Martín. Tengo mucho que hablar con usted —le respondí, mientras seguía caminando con decisión, siempre arrastándola del brazo.

Murmuró algo referente a las oficinas de T., pero yo seguí arrastándola y no oí nada de lo que me decía.

Agregué:

—Tengo muchas cosas que hablar con usted.

No ofrecía resistencia: yo me sentía como un río crecido que arrastra una rama. Llegamos a la plaza y busqué un banco aislado.

—¿Por qué huyó? —fue lo primero que le pregunté. Me miró con esa expresión que yo había notado el día anterior, cuando me dijo "la recuerdo constantemente": era una mirada extraña, fija, penetrante, parecía venir de atrás[65]; esa mirada me recordaba algo, unos ojos parecidos, pero no podía recordar dónde los había visto.

—No sé —respondió finalmente—. También querría huir ahora.

Le apreté el brazo.

—Prométame que no se irá nunca más. La necesito, la necesito mucho —le dije.

Volvió a mirarme como si me escrutara, pero no hizo ningún comentario. Después fijó sus ojos en un árbol lejano.

De perfil no me recordaba nada. Su rostro era hermoso pero tenía

---

[63] **me levanté . . . encuentro** I jumped up and went to meet her.
[64] **dispuesto a todo** ready for anything.
[65] **parecía venir de atrás** it seemed to come from way back (in time).

algo duro. El pelo era largo y castaño. Físicamente, no aparentaba mucho más de veintiséis años, pero existía en ella algo que sugería edad, algo típico de una persona que ha vivido mucho; no canas ni ninguno de esos indicios puramente materiales, sino algo indefinido [45] y seguramente de orden espiritual; quizá la mirada, pero ¿hasta qué punto se puede decir que la mirada de un ser humano es algo físico?; quizá la manera de apretar la boca, pues, aunque la boca y los labios son elementos físicos, la manera de apretarlos y ciertas arrugas son también elementos espirituales. No pude precisar en aquel momento, [50] ni tampoco podría precisarlo ahora, qué era, en definitiva, lo que daba esa impresión de edad. Pienso que también podría ser el modo de hablar.

—Necesito mucho de usted —repetí.

No respondió: seguía mirando el árbol. [55]

—¿Por qué no habla? —le pregunté.

Sin dejar de mirar el árbol, contestó:

—Yo no soy nadie. Usted es un gran artista. No veo para qué me puede necesitar.

Le grité brutalmente: [60]

—¡Le digo que la necesito! ¿Me entiende?

Siempre mirando el árbol, musitó:

—¿Para qué?

No respondí en el instante. Dejé su brazo y quedé pensativo. ¿Para qué, en efecto? Hasta ese momento no me había hecho con [65] claridad la pregunta y más bien había obedecido a una especie de instinto. Con una ramita comencé a trazar dibujos geométricos en la tierra.

—No sé —murmuré al cabo de un buen rato[66]—. Todavía no lo sé. [70]

Reflexionaba intensamente y con la ramita complicaba cada vez más los dibujos.[67]

—Mi cabeza es un laberinto oscuro. A veces hay como relámpagos que iluminan algunos corredores. Nunca termino de saber[68] por qué hago ciertas cosas. No, no es eso... [75]

Me sentía bastante tonto: de ninguna manera era ésa mi forma de ser. Hice un gran esfuerzo mental: ¿acaso yo no razonaba? Por el contrario, mi cerebro estaba constantemente razonando, como una

---

[66] **al cabo... rato** after a long pause.
[67] **complicaba... dibujos** I added more and more lines to my designs.
[68] **Nunca termino de saber** I never really know.

máquina de calcular; por ejemplo, en esta misma historia ¿no me había pasado meses razonando y barajando hipótesis y clasificán- 80 dolas? Y, en cierto modo, ¿no había encontrado a María al fin, gracias a mi capacidad lógica? Sentí que estaba cerca de la verdad, muy cerca, y tuve miedo de perderla: hice un enorme esfuerzo. Grité:

—¡No es que no sepa razonar! Al contrario, razono siempre. 85 Pero imagine usted un capitán que en cada instante fija matemáticamente su posición y sigue su ruta hacia el objetivo con un rigor implacable. Pero que *no sabe por qué va hacia ese objetivo*, ¿entiende?

Me miró un instante con perplejidad; luego volvió nuevamente a 90 mirar el árbol.

—Siento que usted será algo esencial para lo que tengo que hacer, aunque todavía no me doy cuenta de la razón.

Volví a dibujar con la ramita y seguí haciendo un gran esfuerzo mental. Al cabo de un tiempo, agregué: 95

—Por lo pronto sé que es algo vinculado a la escena de la ventana: usted ha sido la única persona que le ha dado importancia.

—Yo no soy crítico de arte —murmuró.

Me enfurecí y grité:

—¡No me hable de esos cretinos! 100

Se dio vuelta sorprendida. Yo bajé entonces la voz y le expliqué por qué no creía en los críticos de arte: en fin, la teoría del bisturí y todo eso.

Me escuchó siempre sin mirarme y cuando yo terminé comentó:

—Usted se queja, pero los críticos siempre lo han elogiado. 5

Me indigné.

—¡Peor para mí! ¿No comprende? Es una de las cosas que me han amargado y que me han hecho pensar que ando por mal camino.[69] Fíjese por ejemplo lo que ha pasado en este salón: ni uno solo de esos charlatanes se dio cuenta de la importancia de esa 10 escena. Hubo una sola persona que le ha dado importancia: usted. Y usted no es un crítico. No, en realidad hay otra persona que le ha dado importancia, pero negativa: me lo ha reprochado, le tiene aprensión, casi asco. En cambio, usted. . .

Siempre mirando hacia adelante dijo, lentamente: 15

—¿Y no podría ser que yo tuviera la misma opinión?

—¿Qué opinión?

[69] **ando por mal camino** I'm on the wrong track.

—La de esa persona.

La miré ansiosamente; pero su cara, de perfil, era inescrutable, con sus mandíbulas apretadas. Respondí con firmeza: 20

—Usted piensa como yo.

—¿Y qué es lo que piensa usted?

—No sé, tampoco podría responder a esa pregunta. Mejor podría decirle que usted *siente* como yo. Usted miraba aquella escena como la habría podido mirar yo en su lugar. No sé qué piensa y tampoco sé 25 lo que pienso yo, pero sé que piensa como yo.

—¿Pero entonces usted no piensa sus cuadros?

—Antes los pensaba mucho, los construía como se construye una casa: Pero esa escena no: sentía que debía pintarla así, sin saber bien por qué. Y sigo sin saber. En realidad, no tiene nada que ver con 30 el resto del cuadro y hasta creo que uno de esos idiotas me lo hizo notar. Estoy caminando a tientas,[70] y necesito su ayuda porque sé que siente como yo.

—No sé exactamente lo que piensa usted.

Comenzaba a impacientarme. Le respondí secamente: 35

—¿No le digo que no sé lo que pienso? Si pudiera decir con palabras claras lo que siento, sería casi como pensar claro. ¿No es cierto?

—Sí, es cierto.

Me callé un momento y pensé, tratando de ver claro. Después 40 agregué:

—Podría decirse que toda mi obra anterior es más superficial.

—¿Qué obra anterior?

—La anterior a la ventana.

Me concentré nuevamente y luego dije: 45

—No, no es eso exactamente, no es eso. No es que fuera más superficial.

¿Qué era, verdaderamente? Nunca, hasta ese momento, me había puesto a pensar en este problema; ahora me daba cuenta hasta qué punto había pintado la escena de la ventana como un sonámbulo. 50

—No, no es que fuera más superficial —agregué, como hablando para mí mismo—. No sé, todo esto tiene algo que ver con la humanidad en general ¿comprende? Recuerdo que días antes de pintarla había leído que en un campo de concentración alguien pidió de comer y lo obligaron a comerse una rata viva. A veces creo que nada 55 tiene sentido. En un planeta minúsculo, que corre hacia la nada desde

---

[70] **Estoy caminando a tientas** I'm groping in the dark.

millones de años, nacemos en medio de dolores, crecemos, luchamos, nos enfermamos, sufrimos, hacemos sufrir, gritamos, morimos, mueren y otros están naciendo para volver a empezar la comedia inútil. 60
¿Sería eso, verdaderamente?[71] Me quedé reflexionando en esa idea de la falta de sentido. ¿Toda nuestra vida sería una serie de gritos anónimos en un desierto de astros indiferentes?
Ella seguía en silencio.
—Esa escena de la playa me da miedo —agregué después de un 65 largo rato—, aunque sé que es algo más profundo. No, más bien quiero decir que me representa más profundamente *a mí*... Eso es, ahora creo que di con la clave. No es un mensaje claro, todavía, no, pero me representa profundamente *a mí*.
Oí que ella decía: 70
—¿Un mensaje de desesperanza, quizá?
La miré ansiosamente:
—Sí —respondí— me parece que un mensaje de desesperanza. ¿Ve cómo usted sentía como yo?
Después de un momento, preguntó: 75
—¿Y le parece elogiable un mensaje de desesperanza?
La observé con sorpresa.
—No —repuse—, me parece que no. ¿Y usted qué piensa?
Quedó un tiempo bastante largo sin responder; por fin volvió la cara y su mirada se clavó en mí.[72] 80
—La palabra elogiable no tiene nada que hacer aquí —dijo, como contestando a su propia pregunta—. Lo que importa es la verdad.
—¿Y usted cree que esa escena es verdadera? —pregunté.
Casi con dureza, afirmó:
—Claro que es verdadera. 85
Miré ansiosamente su rostro duro, su mirada dura. "¿Por qué esa dureza?", me preguntaba, "¿por qué?" Quizá sintió mi ansiedad, mi necesidad de comunión, porque por un instante su mirada se ablandó y pareció ofrecerme un puente; pero sentí que era un puente transitorio y frágil colgado sobre un abismo. Con una voz 90 también diferente, agregó:
—Pero no sé qué ganará con verme. Hago mal a todos los que se me acercan.

[71] **¿Sería eso, verdaderamente?** Was that really it?
[72] **su ... mí** she stared at me.

X

Quedamos en vernos pronto.[73] Me dio vergüenza decirle que deseaba verla al otro día o que deseaba seguir viéndola allí mismo y que ella no debería separarse ya nunca de mí. A pesar de que mi memoria es sorprendente, tengo, de pronto, lagunas inexplicables. No sé ahora qué le dije en aquel momento, pero recuerdo que ella ⁵ me respondió que debía irse.

Esa misma noche le hablé por teléfono. Me atendió una mujer; cuando le dije que quería hablar con la señorita María Iribarne pareció vacilar un segundo, pero luego dijo que iría a ver si estaba. Casi instantáneamente oí la voz de María, pero con un tono casi ¹⁰ oficinesco, que me produjo un vuelco.[74]

—Necesito verla, María —le dije—. Desde que nos separamos he pensado constantemente en usted, cada segundo.

Me detuve temblando. Ella no contestaba.

—¿Por qué no contesta? —le dije con nerviosidad creciente. ¹⁵

—Espere un momento —respondió.

Oí que dejaba el tubo. A los pocos instantes oí de nuevo su voz, pero esta vez su voz verdadera; ahora también ella parecía estar temblando.

—No podía hablar —me explicó. ²⁰

—¿Por qué?

—Acá entra y sale mucha gente.

—¿Y ahora cómo puede hablar?

—Porque cerré la puerta. Cuando cierro la puerta saben que no deben molestarme. ²⁵

—Necesito verla, María —repetí con violencia—. No he hecho otra cosa que pensar en usted desde el mediodía.

Ella no respondió.

—¿Por qué no responde?

—Castel. . . —comenzó con indecisión. ³⁰

—¡No me diga Castel! —grité indignado.

—Juan Pablo. . . —dijo entonces, con timidez.

Sentí que una interminable felicidad comenzaba con esas dos palabras.

---

[73] **Quedamos en vernos pronto** We agreed to get together soon.
[74] **que . . . vuelco** that startled me.

Pero María se había detenido nuevamente.   35
—¿Qué pasa? —pregunté—. ¿Por qué no habla?
—Yo también —musitó.
—¿Yo también qué? —pregunté con ansiedad.
—Que yo también no he hecho más que pensar.
—¿Pero pensar en qué? —seguí preguntando, insaciable.   40
—En todo.
—¿Cómo en todo? ¿En qué?
—En lo extraño que es todo esto. . . lo de su cuadro. . . el encuen-
tro de ayer . . . lo de hoy . . . qué sé yo . . .
La imprecisión siempre me ha irritado.   45
—Sí, pero yo le he dicho que no he dejado de pensar en *usted*
—respondí—. Usted no me dice que haya pensado en mí.
Pasó un instante. Luego respondió:
—Le digo que he pensado en *todo*.
—No ha dado detalles.   50
—Es que todo es tan extraño, ha sido tan extraño. . . estoy tan
perturbada. . . Claro que pensé en usted. . .
Mi corazón golpeó. Necesitaba detalles: me emocionan los detalles,
no las generalidades.
—¿Pero cómo, cómo?. . . —pregunté con creciente ansiedad—.   55
Yo he pensado en cada uno de sus rasgos, en su perfil, cuando miraba
el árbol, en su pelo castaño, en sus ojos duros y cómo de pronto se
hacen blandos, en su forma de caminar. . .
—Tengo que cortar[75] —me interrumpió de pronto—. Viene gente.
—La llamaré mañana temprano —alcancé a decir,[76] con deses-   60
peración.
—Bueno —respondió rápidamente.

XI

Pasé una noche agitada. No pude dibujar ni pintar, aunque intenté
muchas veces empezar algo. Salí a caminar y de pronto me encontré
en la calle Corrientes. Me pasaba algo muy extraño: miraba con
simpatía a todo el mundo. Creo haber dicho que me he propuesto
hacer este relato en forma totalmente imparcial y ahora daré la   5

---

[75] **Tengo que cortar** I have to hang up.
[76] **alcancé a decir** I managed to say.

primera prueba, confesando uno de mis peores defectos: siempre he mirado con antipatía y hasta con asco a la gente, sobre todo a la gente amontonada; nunca he soportado las playas en verano, los partidos de fútbol, las carreras, las manifestaciones. Algunos hombres, algunas mujeres aisladas me fueron muy queridos, por otros sentí admiración (no soy envidioso), por otros tuve verdadera simpatía; por los chicos siempre tuve ternura y compasión (sobre todo cuando, mediante un esfuerzo mental,[77] trataba de olvidar que al fin serían hombres como los demás); pero, *en general,* la humanidad me pareció siempre detestable. No tengo inconvenientes en manifestar[78] que a veces me impedía comer en todo el día o me impedía pintar durante una semana el haber observado un rasgo; es increíble hasta qué punto la codicia, la envidia, la petulancia, la grosería, la avidez y, en general, todo ese conjunto de atributos que forman la desgraciada condición humana pueden verse en una cara, en una manera de caminar, en una mirada. Me parece natural que después de un encuentro así uno no tenga ganas de comer, de pintar, ni aun de vivir. Sin embargo, quiero hacer constar que no me enorgullezco de esta característica; sé que es una muestra de soberbia y sé, también, que mi alma ha albergado muchas veces la codicia, la petulancia, la avidez y la grosería. Pero he dicho que me propongo narrar esta historia con entera imparcialidad, y así lo haré.

Esa noche, pues, mi desprecio por la humanidad parecía abolido o, por lo menos, transitoriamente ausente. Entré en el café Marzotto. Supongo que ustedes saben que la gente va allí a oír tangos, pero a oírlos como un amante de la música y creyente en Dios oye *La Pasión según San Mateo.*

XII

A la mañana siguiente, a eso de las diez, llamé por teléfono. Me atendió la misma mujer del día anterior. Cuando pregunté por la señorita María Iribarne me dijo que esa misma mañana había salido para el campo. Me quedé frío.[79]

—¿Para el campo? —pregunté.

—Sí, señor. ¿Usted es el señor Castel?

—Sí, soy Castel.

---

[77] **mediante un esfuerzo mental**   by means of a mental effort.
[78] **No . . . manifestar**   I don't mind telling you.
[79] **Me quedé frío**   I was stunned.

—Dejó una carta para usted, acá. Que perdone, pero no tenía su dirección.

Me había hecho tanto a la idea de verla[80] ese mismo día y esperaba   10
cosas tan importantes de ese encuentro que este anuncio me dejó
anonadado. Se me ocurrieron una serie de preguntas: ¿Por qué había
resuelto ir al campo? Evidentemente, esta resolución había sido
tomada después de nuestra conversación telefónica, porque, si no, me
habría dicho algo acerca del viaje y, sobre todo, no habría aceptado   15
mi sugestión de hablar por teléfono a la mañana siguiente. Ahora
bien, si esa resolución era posterior a la conversación por teléfono
¿sería también *consecuencia de esa conversación?* Y si era consecuencia, ¿por qué? ¿quería huir de mí una vez más? ¿temía el inevitable encuentro del otro día?   20

Este inesperado viaje al campo despertó la primera duda. Como
sucede siempre, empecé a encontrar sospechosos detalles anteriores
a los que antes no había dado importancia. ¿Por qué esos cambios
de voz en el teléfono el día anterior? ¿Quiénes eran esas gentes que
"entraban y salían" y que le impedían hablar con naturalidad?   25
Además, *eso probaba que ella era capaz de simular.* ¿Y por qué
vaciló esa mujer cuando pregunté por la señorita Iribarne? Pero una
frase sobre todo se me había grabado como con ácido: "Cuando
cierro la puerta saben que no deben molestarme." Pensé que alrededor de María existían muchas sombras.   30

Estas reflexiones me las hice por primera vez mientras corría a
su casa. Era curioso que ella no hubiera averiguado mi dirección;
yo, en cambio, conocía ya su dirección y su teléfono. Vivía en la
calle Posadas, casi en la esquina de Seaver.

Cuando llegué al quinto piso y toqué el timbre, sentí una gran   35
emoción.

Abrió la puerta un mucamo que debía de ser polaco o algo por
el estilo y cuando di mi nombre me hizo pasar a una salita llena de
libros: las paredes estaban cubiertas de estantes hasta el techo, pero
también había montones de libros encima de dos mesitas y hasta de   40
un sillón. Me llamó la atención el tamaño excesivo de muchos
volúmenes.

Me levanté para echar un vistazo a la biblioteca. De pronto tuve
la impresión de que alguien me observaba en silencio a mis espaldas.
Me di vuelta y vi a un hombre en el extremo opuesto de la salita: 45
era alto, flaco, tenía una hermosa cabeza. Sonreía mirando hacia

[80] **Me . . . verla** I had set my mind so much on seeing her.

donde yo estaba, pero *en general*,[81] sin precisión. A pesar de que tenía los ojos abiertos, me di cuenta de que era ciego. Entonces me expliqué el tamaño anormal de los libros.

—¿Usted es Castel, no? —me dijo con cordialidad, extendién- 50 dome la mano.

—Sí, señor Iribarne —respondí, entregándole mi mano con perplejidad, mientras pensaba qué clase de vinculación familiar podía haber entre María y él.

Al mismo tiempo que me hacía señas de tomar asiento, sonrió con 55 una ligera expresión de ironía y agregó:

—No me llamo Iribarne y no me diga señor. Soy Allende, marido de María.

Acostumbrado a valorizar y quizá a interpretar los silencios, añadió inmediatamente: 60

—María usa siempre su apellido de soltera.

Yo estaba como una estatua.

—María me ha hablado mucho de su pintura. Como quedé ciego hace pocos años,[82] todavía puedo imaginar bastante bien las cosas. Parecía como si quisiera disculparse de su ceguera.[83] Yo no sabía 65 qué decir. ¡Cómo ansiaba estar solo, en la calle, para pensar en todo!

Sacó una carta de un bolsillo y me la alcanzó.

—Acá está la carta —dijo con sencillez, como si no tuviera nada de extraordinario.

Tomé la carta e iba a guardarla cuando el ciego agregó, como si 70 hubiera visto mi actitud:

—Léala, no más. Aunque siendo de María no debe de ser nada urgente.

Yo temblaba. Abrí el sobre, mientras él encendía un cigarrillo, después de haberme ofrecido uno. Saqué la carta; decía una sola 75 frase:

Yo también pienso en usted.

MARÍA

Cuando el ciego oyó doblar el papel, preguntó:

—Nada urgente, supongo.

Hice un gran esfuerzo y respondí: 80

—No, nada urgente.

[81] **pero en general** but in the general direction.
[82] **Como . . . años** Since I became blind only a few years ago.
[83] **disculparse de su ceguera** to make excuses for his blindness.

Me sentí una especie de monstruo, viendo sonreír al ciego, que me miraba con los ojos bien abiertos.

—Así es María —dijo, como pensado para sí—. Muchos confunden sus impulsos con urgencias. María hace, efectivamente, con 85 rapidez, cosas que no cambian la situación. ¿Cómo le explicaré?

Miró abstraído hacia el suelo, como buscando una explicación más clara. Al rato, dijo:

—Como alguien que estuviera parado en un desierto y de pronto cambiase de lugar con gran rapidez. ¿Comprende? La velocidad no 90 importa, siempre se está en el mismo paisaje.

Fumó y pensó un instante más, como si yo no estuviera. Luego agregó:

—Aunque no sé si es esto, exactamente. No tengo mucha habilidad para las metáforas. 95

No veía el momento de huir[84] de aquella sala maldita. Pero el ciego no parecía tener apuro. "¿Qué abominable comedia es ésta?", pensé.

—Ahora, por ejemplo —prosiguió Allende—, se levanta temprano y me dice que se va a la estancia. 100

—¿A la estancia? —pregunté inconscientemente.

—Sí, a la estancia nuestra. Es decir, a la estancia de mi abuelo. Pero ahora está en manos de mi primo Hunter. Supongo que lo conoce.

Esta nueva revelación me llenó de zozobra y al mismo tiempo de 5 despecho: ¿qué podría encontrar María en ese imbécil mujeriego y cínico? Traté de tranquilizarme, pensando que ella no iría a la estancia por Hunter sino, simplemente, porque podría gustarle la soledad del campo y porque la estancia era de la familia. Pero quedé muy triste. 10

—He oído hablar de él —dije, con amargura.

Antes de que el ciego pudiese hablar agregué, con brusquedad:

—Tengo que irme.

—Caramba, cómo lo lamento —comentó Allende—. Espero que volvamos a vernos. 15

—Sí, sí, naturalmente —dije.

Me acompañó hasta la puerta. Le di la mano y salí corriendo. Mientras bajaba en el ascensor, me repetía con rabia: "¿Qué abominable comedia es ésta?"

---

[84] **No . . . huir** I was anxious to leave.

XIII

Necesitaba despejarme y pensar con tranquilidad. Caminé por Posadas hacia el lado de la Recoleta.

Mi cabeza era un pandemonio: una cantidad de ideas, sentimientos de amor y de odio, preguntas, resentimientos y recuerdos se mezclaban y aparecían sucesivamente.

—¿Qué idea era ésta, por ejemplo, de hacerme ir a la casa a buscar una carta y hacérmela entregar por el marido[85]? ¿Y cómo no me había advertido que era casada? ¿Y qué diablos tenía que hacer en la estancia con el sinvergüenza de Hunter? ¿Y por qué no había esperado mi llamado telefónico? Y ese ciego, ¿qué clase de bicho era? Dije ya que tengo una idea desagradable de la humanidad; debo confesar ahora que los ciegos *no me gustan nada* y que siento delante de ellos una impresión semejante a la que me producen ciertos animales, fríos, húmedos y silenciosos, como las víboras. Si se agrega el hecho de leer delante de él una carta de la mujer que decía *Yo también pienso en usted,* no es difícil adivinar la sensación de asco que tuve en aquellos momentos.

Traté de ordenar un poco el caos de mis ideas y sentimientos y proceder con método, como acostumbro. Había que empezar por el principio, y el principio (por lo menos el inmediato) era, evidentemente, la conversación por teléfono. En esa conversación había varios puntos oscuros.

En primer término, si en esa casa era tan natural que ella tuviera relaciones con hombres, como lo probaba el hecho de la carta a través del marido, ¿por qué emplear una voz neutra y oficinesca hasta que la puerta estuvo cerrada? Luego ¿qué significaba esa aclaración de que "cuando está la puerta cerrada saben que no deben molestarme"? Por lo visto, era frecuente que ella se encerrara para hablar por teléfono. Pero no era creíble que se encerrase para tener conversaciones triviales con personas amigas de la casa: había que suponer que era para tener conversaciones semejantes a la nuestra. Pero entonces había en su vida otras personas como yo. ¿Cuántas eran? ¿Y quiénes eran?

Primero pensé en Hunter, pero lo excluí en seguida: ¿a qué hablar

[85] **y hacérmela . . . marido?** and have her husband turn it over to me?

por teléfono si podía verlo en la estancia cuando quisiera? ¿Quiénes [35]
eran los otros, en ese caso?

Pensé si con esto liquidaba el asunto telefónico. No, no quedaba
terminado: subsistía el problema de su contestación a mi pregunta
precisa. Observé con amargura que cuando yo le pregunté si había
pensado en mí, después de tantas vaguedades sólo contestó: "¿no [40]
le he dicho que he pensado en todo?" Esto de contestar con una pregunta no compromete mucho. En fin, la prueba de que esa respuesta
no fue clara era que ella misma, al otro día (o esa misma noche)
creyó necesario responder en forma bien precisa con una carta.

"Pasemos a la carta", me dije. Saqué la carta del bolsillo y la [45]
volví a leer:

Yo también pienso en usted.

MARÍA

La letra era nerviosa o por lo menos era la letra de una persona
nerviosa. No es lo mismo, porque, de ser cierto lo primero,[86] mani- [50]
festaba una emoción actual y, por lo tanto, un indicio favorable a mi
problema. Sea como sea, me emocionó muchísimo la firma: *María*.
Simplemente *María*. Esa simplicidad me daba una vaga idea de
pertenencia, una vaga idea de que la muchacha estaba ya en mi vida
y de que, en cierto modo, me pertenecía. [55]

¡Ay! Mis sentimientos de felicidad son tan poco duraderos. . .   Esa
impresión, por ejemplo, no resistía el menor análisis: ¿acaso el
marido no la llamaba también María?[87] Y seguramente Hunter también la llamaría así, ¿de qué otra manera podía llamarla? ¿Y las
otras personas con las que hablaba a puertas cerradas? Me imagino [60]
que nadie habla a puertas cerradas a alguien que respetuosamente
dice "señorita Iribarne".

¡"Señorita Iribarne"! Ahora caía en la cuenta de la vacilación que
había tenido la mucama la primera vez que hablé por teléfono: ¡Qué
grotesco! Pensándolo bien, era una prueba más de que ese tipo de [65]
llamado no era totalmente novedoso: evidentemente, la primera vez
que alguien preguntó por la "señorita Iribarne" la mucama extrañada,
debió forzosamente haber corregido, recalcando lo de *señora*. Pero,
naturalmente, a fuerza de repeticiones,[88] la mucama había terminado

[86] **de . . . primero**   if the first were true.
[87] **¿acaso . . . María?**   didn't her husband also call her María?
[88] **a fuerza de repeticiones**   through repetition.

por encogerse de hombros y pensar que era preferible no meterse en [70] rectificaciones.[89] Vaciló, era natural; pero no me corrigió.

Volviendo a la carta, reflexioné que había motivo para una cantidad de deducciones. Empecé por el hecho más extraordinario: la forma de hacerme llegar la carta.[90] Recordé el argumento que me transmitió la mucama: "Que perdone, pero no tenía la dirección." [75] Era cierto: ni ella me había pedido la dirección ni a mí se me había ocurrido dársela; pero lo primero que yo habría hecho en su lugar era buscarla en la guía de teléfonos. No era posible atribuir su actitud a una inconcebible pereza, y entonces era inevitable una conclusión: *María deseaba que yo fuera a las casa y me enfrentase con el marido.* [80] Pero ¿por qué? En este punto se llegaba a una situación sumamente complicada: podía ser que ella experimentara placer en usar al marido de intermediario; podía ser el marido el que experimentase placer; podían ser los dos: Fuera de estas posibilidades patológicas quedaba una natural: María había querido hacerme saber que era [85] casada para que yo viera la inconveniencia de seguir adelante.

Estoy seguro de que muchos de los que ahora están leyendo estas páginas se pronunciarán por esta última hipótesis y juzgarán que sólo un hombre como yo puede elegir alguna de las otras. En la época en que yo tenía amigos, muchas veces se han reído de mi manía [90] de elegir siempre los caminos más enrevesados: Yo me pregunto *por qué la realidad ha de ser simple.* Mi experiencia me ha enseñado que, por el contrario, casi nunca lo es y que cuando hay algo que parece extraordinariamente claro, una acción que al parecer obedece a una causa sencilla, casi siempre hay debajo móviles más complejos. Un [95] ejemplo de todos los días: la gente que da limosnas; en general, se considera que es más generosa y mejor que la gente que no las da. Me permitiré tratar con el mayor desdén esta teoría simplista. Cualquiera sabe que no se resuelve el problema de un mendigo (de un mendigo auténtico) con diez centavos o un pedazo de pan: solamente [100] se resuelve el problema psicológico del señor que compra así, por casi nada, su tranquilidad espiritual y su título de generoso. Júzguese hasta qué punto esa gente es mezquina cuando no se decide a gastar más de diez centavos por día para asegurar su tranquilidad espiritual y la idea reconfortante y vanidosa de su bondad. ¡Cuánta más pureza [5]

---

[89] **no meterse en rectificaciones**   not to get involved in correcting me.
[90] **de . . . carta**   of having the letter delivered to me.

de espíritu y cuánto más valor se requiere para sobrellevar la existencia de la miseria humana sin esta hipócrita (y usuraria) operación! Pero volvamos a la carta.

Solamente un espíritu superficial podría quedarse con la misma hipótesis, pues se derrumba al menor análisis. "María quería hacerme ¹⁰ saber que era casada para que yo viese la inconveniencia de seguir adelante." Muy bonito. Pero ¿por qué en ese caso recurrir a un procedimiento tan engorroso y cruel? ¿No podría habérmelo dicho personalmente y hasta por teléfono? ¿No podría haberme escrito, de no tener valor para decírmelo?[91] Quedaba todavía un argumento ¹⁵ tremendo: ¿por qué la carta, en ese caso, no decía que era casada, como yo lo podía ver, y no rogaba que tomara nuestras relaciones en un sentido más tranquilo? No, señores. Por el contrario, la carta era una carta destinada a consolidar nuestras relaciones, a alentarlas y a conducirlas por el camino más peligroso. ²⁰

Quedaban, al parecer, las hipótesis patológicas. ¿Era posible que María sintiera placer en emplear a Allende de intermediario? ¿O era él quien buscaba esas oportunidades? ¿O el destino se había divertido juntando dos seres semejantes?

De pronto me horroricé de haber llegado a esos extremos, con mi ²⁵ costumbre de analizar indefinidamente hechos y palabras. Recordé la mirada de María fija en el árbol de la plaza, mientras oía mis opiniones; recordé su timidez, su primera huida. Y una desbordante ternura hacia ella comenzó a invadirme. Me pareció que era una frágil, una irreal criatura en medio de un mundo cruel, lleno de ³⁰ fealdad y miseria. Sentí lo que muchas veces había sentido desde aquel momento del salón: que era un ser semejante a mí.

Olvidé mis áridos razonamientos, mis deducciones feroces. Me dediqué a imaginar su rostro, su mirada —esa mirada que me recordaba algo que no podía precisar—, su forma profunda y melancólica ³⁵ de razonar. Sentí que el amor anónimo que yo había alimentado durante años de soledad se había concentrado en María. ¿Cómo podía pensar cosas tan absurdas?

Traté de olvidar, pues, todas mis estúpidas deducciones acerca del teléfono, la carta, la estancia, Hunter. ⁴⁰

Pero no pude.

⁹¹ **de . . . decírmelo?**   if she didn't have the courage to say it to me?

XIV

Los días siguientes fueron agitados. En mi precipitación no había preguntado cuándo volvería María de la estancia; el mismo día de mi visita volví a hablar por teléfono para averiguarlo; la mucama me dijo que no sabía nada; entonces le pedí la dirección de la estancia.

Esa misma noche escribí una carta desesperada, preguntándole la fecha de su regreso y pidiéndole que me hablara por teléfono en cuanto llegase a Buenos Aires o que me escribiese. Fui hasta el Correo Central y la hice certificar, para disminuir al mínimo los riesgos.

Como decía, pasé unos días muy agitados y mil veces volvieron a mi cabeza las ideas oscuras que me atormentaban después de la visita a la calle Posadas. Tuve este sueño: visitaba de noche una vieja casa solitaria. Era una casa en cierto modo conocida e infinitamente ansiada por mí desde la infancia, de manera que al entrar en ella me guiaban algunos recuerdos. Pero a veces me encontraba perdido en la oscuridad o tenía la impresión de enemigos escondidos que podían asaltarme por detrás o de gentes que cuchicheaban y se burlaban de mí, de mi ingenuidad. ¿Quiénes eran esas gentes y qué querían? Y sin embargo, y a pesar de todo, sentía que en esa casa renacían en mí los antiguos amores de la adolescencia, con los mismos temblores y esa sensación de suave locura, de temor y de alegría. Cuando me desperté, comprendí que la casa del sueño era María.

XV

En los días que precedieron a la llegada de su carta, mi pensamiento era como un explorador perdido en un paisaje neblinoso: acá y allá, con gran esfuerzo, lograba vislumbrar vagas siluetas de hombres y cosas, indecisos perfiles de peligros y abismos. La llegada de la carta fue como la salida del sol.

Pero este sol era un sol negro, un sol nocturno. No sé si se puede decir esto, pero aunque no soy escritor y aunque no estoy seguro de mi precisión, no retiraría la palabra nocturno; esta palabra era, quizá, la más apropiada para María, entre todas las que forman nuestro imperfecto lenguaje.

Esta es la carta que me envió:

*He pasado tres días extraños: el mar, la playa, los caminos me
fueron trayendo recuerdos de otros tiempos. No sólo imágenes: también voces, gritos y largos silencios de otros días. Es curioso, pero
vivir consiste en construir futuros recuerdos; ahora mismo, aquí* 15
*frente al mar, sé que estoy preparando recuerdos minuciosos, que
alguna vez me traerán la melancolía y la desesperanza.
El mar está ahí, permanente y rabioso. Mi llanto de entonces,
inútil; también inútiles mis esperas en la playa solitaria, mirando
tenazmente al mar. ¿Has adivinado y pintado este recuerdo mío o* 20
*has pintado el recuerdo de muchos seres como tú y yo?
Pero ahora tu figura se interpone: estás entre el mar y yo. Mis ojos
encuentran tus ojos. Estás quieto y un poco desconsolado, me miras
como pidiendo ayuda.*

MARÍA 25

¡Cuánto la comprendía y qué maravillosos sentimientos crecieron
en mí con esta carta! Hasta el hecho de tutearme de pronto me dio
una certeza de que María era mía. Y solamente mía: "estás entre el
mar y yo"; allí no existía otro, estábamos solos nosotros dos, como
lo intuí desde el momento en que ella miró la escena de la ventana. 30
En verdad ¿cómo podía no tutearme si nos conocíamos desde siempre,[92] desde mil años atrás? Si cuando ella se detuvo frente a mi
cuadro y miró aquella pequeña escena sin oír ni ver la multitud que
nos rodeaba, ya era como si nos hubiésemos tuteado y en seguida
supe cómo era y quién era, cómo yo la necesitaba y cómo también, 35
yo le era necesario.
¡Ah, y sin embargo te maté! ¡Y he sido yo quien te ha matado, yo,
que veía como a través de un muro de vidrio, sin poder tocarlo, tu
rostro mudo y ansioso! ¡Yo, tan estúpido, tan ciego, tan egoísta, tan
cruel!   40
Basta de efusiones. Dije que relataría esta historia en forma escueta
y así lo haré.

XVI

Amaba desesperadamente a María y no obstante la palabra *amor*
no se había pronunciado entre nosotros. Esperé con ansiedad su
retorno de la estancia para decírsela.

[92] **si nos . . . siempre**   if we had always known one another.

Pero ella no volvía. A medida que fueron pasando los días,[93] creció en mí una especie de locura. Le escribí una segunda carta que simplemente decía: "¡Te amo, María, te amo, te amo!"

A los dos días recibí, por fin, una respuesta que decía estas únicas palabras: "Tengo miedo de hacerte mucho mal." Le contesté en el mismo instante: "No me importa lo que puedas hacerme. Si no pudiera amarte me moriría. Cada segundo que paso sin verte es una interminable tortura."

Pasaron días atroces, pero la contestación de María no llegó. Desesperado, escribí: "Estás pisoteando mi alma."

Al otro día, por teléfono, oí su voz, remota y temblorosa. Excepto la palabra *María,* pronunciada repetidamente, no atiné a decir nada, ni tampoco me habría sido posible: mi garganta estaba contraída de tal modo que no podía hablar distintamente. Ella me dijo:

—Vuelvo mañana a Buenos Aires. Te hablaré apenas llegue.

Al otro día, a la tarde, me habló desde su casa.

—Te quiero ver en seguida —dije.

—Sí, nos veremos hoy mismo —respondió.

—Te espero en la plaza San Martín —le dije.

María pareció vacilar. Luego respondió:

—Preferiría la Recoleta. Estaré a las ocho.

¡Cómo esperé aquel momento, cómo caminé sin rumbo por las calles para que el tiempo pasara más rápido! ¡Qué ternura sentía en mi alma, qué hermosos me parecían el mundo, la tarde de verano, los chicos que jugaban en la vereda! Pienso ahora hasta qué punto el amor enceguece y qué mágico poder de transformación tiene. ¡La hermosura del mundo! ¡Si es para morirse de risa![94]

Habían pasado pocos minutos de las ocho cuando vi a María que se acercaba, buscándome en la oscuridad. Era ya muy tarde para ver su cara, pero reconocí su manera de caminar.

Nos sentamos. Le apreté un brazo y repetí su nombre insensatamente, muchas veces; no acertaba a decir otra cosa,[95] mientras ella permanecía en silencio.

—¿Por qué te fuiste a la estancia? —pregunté por fin, con violencia—. ¿Por qué me dejaste solo? ¿Por qué dejaste esa carta en tu casa? ¿Por qué no me dijiste que eras casada?

[93] **A medida ... días** As the days passed by.
[94] **¡Si ... risa!** That's a laugh!
[95] **no ... cosa** I couldn't manage to say anything else.

Ella no respondía. Le estrujé el brazo. Gimió.   40

—Me haces mal, Juan Pablo —dijo suavemente.

—¿Por qué no me dices nada? ¿Por qué no respondes?

No decía nada.

—¿Por qué? ¿Por qué?

Por fin respondió: 45

—¿Por qué todo ha de tener respuesta? No hablemos de mí: hablemos de ti, de tus trabajos, de tus preocupaciones. Pensé constantemente en tu pintura, en lo que me dijiste en la plaza San Martín. Quiero saber qué haces ahora, qué piensas, si has pintado o no.

Le volví a estrujar el brazo con rabia.   50

—No —le respondí—. No es de mí que deseo hablar: deseo hablar de nosotros dos, necesito saber si me quieres. Nada más que eso: saber si me quieres.

No respondió. Desesperado por el silencio y por la oscuridad que no me permitía adivinar sus pensamientos a través de sus ojos, en-   55
cendí un fósforo. Ella dio vuelta rápidamente la cara, escondiéndola. Le tomé la cara con mi otra mano y la obligué a mirarme: estaba llorando silenciosamente.

—Ah. . . entonces no me quieres —dije con amargura.

Mientras el fósforo se apagaba vi, sin embargo, cómo me miraba   60
con ternura. Luego, ya en plena oscuridad, sentí que su mano acariciaba mi cabeza. Me dijo suavemente:

—Claro que te quiero. . . ¿por qué hay que decir ciertas cosas?

—Sí —le respondí— ¿pero cómo me quieres? Hay muchas maneras de querer. Se puede querer también a un perro, a un chiquillo. Yo   65
quiero decir *amor, verdadero amor, ¿*entiendes?

Tuve una rara intuición: encendí rápidamente otro fósforo. Tal como lo había intuido, el rostro de María sonreía. Es decir, ya no sonreía, pero había estado sonriendo un décimo de segundo antes. Me ha sucedido a veces darme vuelta de pronto[96] con la sensación de   70
que me espiaban, no encontrar a nadie y sin embargo sentir que la soledad que me rodeaba era reciente y que algo fugaz había desaparecido, como si un leve temblor quedara vibrando en el ambiente. Era algo así.

—Has estado sonriendo —dije con rabia.   75

—¿Sonriendo? —preguntó asombrada.

---

[96] **darme vuelta de pronto**   to turn suddenly.

—Sí, sonriendo: a mí no se me engaña tan fácilmente.[97] Me fijo mucho en los detalles.

—¿En qué detalles te has fijado? —preguntó con dureza.

—Quedaba algo en tu cara. Rastros de una sonrisa.   80

—¿Y de qué podía sonreír? —volvió a decir con dureza.

—De mi ingenuidad, de mi pregunta si me amabas verdaderamente o como a un chico, qué sé yo. . . Pero habías estado sonriendo. De eso no tengo ninguna duda.

María se levantó de golpe.   85

—¿Qué pasa? —pregunté asombrado.

—Me voy —repuso secamente.

Me levanté como un resorte.

—¿Cómo, que te vas?[98]

—Sí, me voy.   90

—¿Cómo, que te vas? ¿Por qué?

No respondió. Casi la sacudí con los dos brazos.

—¿Por qué te vas?

—Temo que tampoco tú me entiendas.

Me dio rabia.   95

—¿Cómo? Te pregunto algo que para mí es cosa de vida o muerte, en vez de responderme sonríes y además te enojas. Claro que es para no entenderte.[99]

—Imaginas que he sonreído —comentó con sequedad.

—Estoy seguro.   100

—Pues te equivocas. Y me duele infinitamente que hayas pensado eso.

No sabía qué pensar. En rigor, yo no había visto la sonrisa sino algo así como un rastro en una cara ya seria.

—No sé, María, perdóname —dije abatido—. Pero tuve la seguri-   5
dad de que habías sonreído.

Me quedé en silencio; estaba muy abatido. Al rato sentí que su mano tomaba mi brazo con ternura. Oí en seguida su voz, ahora débil y dolorida:

—¿Pero cómo pudiste pensarlo?   10

—No sé, no sé —repuse casi llorando.

Me hizo sentar nuevamente y me acarició la cabeza como lo había hecho al comienzo.

---

[97] **Sí . . . fácilmente**   Yes, smiling: I'm not easily fooled.
[98] **¿Cómo que te vas?**   What do you mean, you're going?
[99] **Claro . . . entenderte**   Of course there's reason not to understand you.

—Te advertí que te haría mucho mal —me dijo al cabo de unos instantes de silencio—. Ya ves cómo tenía razón. 15

—Ha sido culpa mía —respondí.

—No, quizá ha sido culpa mía —comentó pensativamente, como si hablase consigo misma.

"Qué extraño", pensé.

—¿Qué es lo extraño? —preguntó María. 20

Me quedé asombrado y hasta pensé (muchos días después) que era capaz de leer los pensamientos. Hoy mismo no estoy seguro de que yo haya dicho aquellas palabras en voz alta, sin darme cuenta.

—¿Qué es lo extraño? —volvió a preguntarme, porque yo, en mi asombro, no había respondido. 25

—Qué extraño lo de tu edad.

—¿De mi edad?

—Sí, de tu edad. ¿Qué edad tienes?

Rió.

—¿Qué edad crees que tengo? 30

—Eso es precisamente lo extraño —respondí—. La primera vez que te vi me pareciste una muchacha de unos veintiséis años.

—¿Y ahora?

—No, no. Ya al comienzo estaba perplejo, porque algo no físico me hacía pensar. . . 35

—¿Qué te hacía pensar?

—Me hacía pensar en muchos años. A veces siento como si yo fuera un niño a tu lado.

—¿Qué edad tienes tú?

—Treinta y ocho años. 40

—Eres muy joven, realmente.

Me quedé perplejo. No porque creyera que mi edad fuese excesiva sino porque, a pesar de todo, yo debía de tener muchos más años que ella; porque, de cualquier modo, no era posible que tuviese más de veintiséis años. 45

—Muy joven —repitió, adivinando quizá mi asombro.

—Y tú ¿qué edad tienes? —insistí.

—¿Qué importancia tiene eso? —respondió seriamente.

—¿Y por qué has preguntado mi edad? —dije, casi irritado.

—Esta conversación es absurda —replicó—. Todo esto es una 50 tontería. Me asombra que te preocupes de cosas así.

¿Yo preocupándome de cosas así? ¿Nosotros teniendo semejante conversación? En verdad ¿cómo podía pasar todo eso? Estaba tan

perplejo que había olvidado la causa de la pregunta inicial. No, mejor
dicho, no había *investigado* la causa de la pregunta inicial. Sólo en 55
mi casa, horas después, llegué a darme cuenta del significado profundo de esta conversación aparentemente tan trivial.

XVII

Durante más de un mes nos vimos casi todos los días. No quiero
rememorar en detalle todo lo que sucedió en ese tiempo a la vez
maravilloso y horrible. Hubo demasiadas cosas tristes para que desee
rehacerlas en el recuerdo.

María comenzó a venir al taller. La escena de los fósforos, con 5
pequeñas variaciones, se había reproducido dos o tres veces y yo
vivía obsesionado con la idea de que su amor era, en el mejor de
los casos, amor de madre o hermana. De modo que la unión física se
me aparecía como una garantía de verdadero amor.

Diré desde ahora que esa idea fue una de las tantas ingenuidades 10
mías, una de esas ingenuidades que seguramente hacían sonreír a
María a mis espaldas. Lejos de tranquilizarme, el amor físico me
perturbó más, trajo nuevas y torturantes dudas, dolorosas escenas de
incomprensión, crueles experimentos con María. Las horas que
pasamos en el taller son horas que nunca olvidaré. Mis sentimientos, 15
durante todo ese período, oscilaron entre el amor más puro y el odio
más desenfrenado, ante las contradicciones y las inexplicables actitudes de María. A pesar de que se entregaba en la forma más incon-
dicional, de pronto me acometía la duda de que todo era fingido. Por
momentos parecía una adolescente púdica y de pronto se me ocurría 20
que era una mujer cualquiera, y entonces un largo cortejo de dudas
desfilaba por mi mente: ¿dónde? ¿cómo? ¿quiénes? ¿cuándo?

En tales ocasiones, no podía evitar la idea de que María repre-
sentaba la más sutil y atroz de las comedias y de que yo era, entre
sus manos, como un ingenuo chiquillo al que se engaña con cuentos 25
fáciles para que coma o duerma. A veces me acometía un frenético
pudor, corría a vestirme y luego me lanzaba a la calle,[100] a tomar
fresco y a rumiar mis dudas y aprensiones. Otros días, en cambio, mi
reacción era positiva y brutal: me echaba sobre ella,[101] le agarraba

---

[100] **me . . . calle** I would rush outside.
[101] **me echaba sobre ella** I would throw myself on her.

los brazos como con tenazas, se los retorcía y le clavaba la mirada en 30
sus ojos,[102] tratando de forzarle garantías de amor, de *verdadero*
amor.

Pero nada de todo esto es exactamente lo que quiero decir. Debo
confesar que yo mismo no sé lo que quiero decir con eso del "amor
verdadero"; y lo curioso es que, aunque empleé muchas veces esa 35
expresión en los interrogatorios, nunca hasta hoy me puse a analizar a
fondo su sentido. ¿Qué quería decir? ¿Un amor que incluyera la
pasión física? Quizá la buscaba en mi desesperación de comunicarme
más firmemente con María. Yo tenía la certeza de que, en ciertas
ocasiones, lográbamos comunicarnos, pero en forma tan sutil, tan 40
pasajera, tan tenue, que luego quedaba más desesperadamente solo
que antes, con esa imprecisa insatisfacción que experimentamos al
querer reconstruir ciertos amores de un sueño. Sé que, de pronto,
mirando un parque en la tarde o la salida de un carguero de nombre
remoto, lográbamos algunos momentos de comunión. Y el estar 45
juntos atenuaba la melancolía que siempre acompaña a esas sensaciones, seguramente causada por la esencial incomunicabilidad de
esas fugaces bellezas. Bastaba que nos miráramos para saber que
estábamos pensando o, mejor dicho, sintiendo lo mismo.

Claro que pagábamos cruelmente esos instantes, porque todo lo 50
que sucedía después parecía grosero o torpe. Cualquier cosa que
hiciéramos (hablar, tomar café) era doloroso, pues señalaba hasta
qué punto eran fugaces esos instantes de comunidad. Y, lo que era
mucho peor, causaban nuevos distanciamientos porque yo la forzaba,
en la desesperación de consolidar de algún modo esa fusión, a unirnos 55
corporalmente; sólo lográbamos confirmar la imposibilidad de pro-
longarla o consolidarla mediante un acto material. Pero ella agravaba
las cosas porque, quizá en su deseo de borrarme esa idea fija, aparentaba sentir un verdadero y casi increíble placer; y entonces venían
las escenas de vestirme rapidamente y huir a la calle, o de apretarle 60
brutalmente los brazos y querer forzarle confesiones sobre la veracidad de sus sentimientos y sensaciones. Y todo era tan atroz que
cuando ella intuía que nos acercábamos al amor físico, trataba de
rehuirlo. Al final había llegado a un completo escepticismo y trataba
de hacerme comprender que no solamente era inútil para nuestro 65
amor sino hasta pernicioso.

Con esta actitud sólo lograba aumentar mis dudas acerca de la

---

[102] **le clavaba ... ojos** I would stare into her eyes.

naturaleza de su amor, puesto que yo me preguntaba si ella no habría estado haciendo la comedia[103] y entonces poder ella argüir que el amor físico era pernicioso y de ese modo evitarlo en el futuro; siendo 70 la verdad que lo detestaba desde el comienzo y, por lo tanto, que era fingido su placer. Naturalmente, sobrevenían otras peleas y era inútil que ella tratara de convencerme hablándome de parques o barcos: sólo conseguía enloquecerme[104] con nuevas y más sutiles dudas, y así recomenzaban nuevos y más complicados interrogatorios. 75

Lo que más me indignaba, ante el hipotético engaño, era el haberme entregado a ella completamente indefenso, como una criatura.

—Si alguna vez sospecho que me has engañado —le decía con rabia— te mataré como a un perro. 80

Le retorcía los brazos y la miraba fijamente en los ojos, por si podía advertir algún indicio,[105] algún brillo sospechoso, algún fugaz destello de ironía. Pero en esas ocasiones me miraba asustada como un niño, o tristemente, con resignación, mientras comenzaba a vestirse en silencio. 85

Un día la discusión fue más violenta que de costumbre y llegué a gritarle[106] una palabra horrenda. María quedó muda y paralizada. Luego, lentamente, en silencio, fue a vestirse detrás del biombo de las modelos; y cuando yo, después de luchar entre mi odio y mi arrepentimiento, corrí a pedirle perdón, vi que su rostro estaba empapado en lágrimas. No supe qué hacer: la besé tiernamente en los ojos, le pedí perdón con humildad, lloré ante ella, me acusé de ser un monstruo cruel, injusto y vengativo. Y eso duró mientras ella mostró algún resto de desconsuelo, pero apenas se calmó y comenzó a sonreír con felicidad, empezó a parecerme poco natural que ella no 95 siguiera triste: podía tranquilizarse, pero era sumamente sospechoso que se entregase a la alegría después de haberle gritado una palabra semejante[107] y comenzó a parecerme que cualquier mujer debe sentirse humillada al ser calificada así, hasta las propias prostitutas,[108]

---

[103] **si . . . comedia**   if she hadn't been putting on an act.
[104] **sólo conseguía enloquecerme**   the only thing she accomplished was to drive me mad.
[105] **por . . . indicio**   to see if I could detect some sign.
[106] **llegué a gritarle**   I came to the point of shouting at her.
[107] **que se . . . semejante**   that she become happy after I had shouted such a word at her.
[108] **hasta las propias prostitutas**   even the prostitutes themselves.

pero ninguna mujer podría volver tan pronto a la alegría, *a menos* [100] *de haber*[109] *cierta verdad en aquella calificación.*

Escenas semejantes se repetían casi todos los días. A veces terminaban en una calma relativa y salíamos a caminar por la Plaza Francia como dos adolescentes enamorados, conversando de pintura o de música, y no era raro que cantara para mí, en voz baja, alguna [5] cosita. Pero esos momentos de ternura se fueron haciendo más raros y cortos, como inestables momentos de sol en un cielo cada vez más tempestuoso[110] y sombrío. Mis dudas y mis interrogatorios fueron envolviéndolo todo, como una liana que fuera enredando y ahogando los árboles de un parque en una monstruosa trama. [10]

XVIII

Mis interrogatorios, cada día más frecuentes y retorcidos, eran a propósito de sus silencios, sus miradas, sus palabras perdidas, algún viaje a la estancia, sus amores. Una vez le pregunté por qué se hacía llamar[111] "señorita Iribarne", en vez de "señora de Allende". Sonrió y me dijo: [5]

—¡Qué niño eres! ¿Qué importancia puede tener eso?

—Para mí tiene mucha importancia —respondí examinando sus ojos.

—Es una costumbre de familia —me respondió, abandonando la sonrisa. [10]

—Sin embargo —aduje—, la primera vez que hablé a tu casa[112] y pregunté por la "señorita Iribarne" la mucama vaciló un instante antes de responderme.

—Te habrá parecido.

—Puede ser. Pero ¿por qué no me corrigió? [15]

María volvió a sonreír, esta vez con mayor intensidad.

—Te acabo de explicar —dijo— que es costumbre nuestra, de manera que la mucama también lo sabe. Todos me llaman María Iribarne.

[109] **a menos de haber**   unless there was.
[110] **cada vez más tempestuoso**   more and more stormy looking.
[111] **se hacía llamar**   she had people address her as
[112] **que ... casa**   that I called your home.

—María Iribarne me parece natural, pero menos natural me parece que la mucama se extrañe tan poco[113] cuando te llaman "señorita".

—Ah. . . no me di cuenta de que era eso lo que te sorprendía. Bueno, no es lo acostumbrado[114] y quizá eso explica la vacilación de la mucama.

Se quedó pensativa, como si por primera vez advirtiese el problema.

—Y sin embargo no me corrigió —insistí.

—¿Quién? —preguntó ella, como volviendo a la conciencia.

—La mucama. No me corrigió lo de señorita.

—Pero, Juan Pablo, todo eso no tiene absolutamente ninguna importancia y no sé qué quieres demostrar.

—Quiero demostrar que probablemente no era la primera vez que se te llamaba señorita.[115] La primera vez la mucama habría corregido.

María se echó a reír.

—Eres completamente fantástico —dijo casi con alegría, acariciándome con ternura.

Permanecí serio.

—Además —proseguí—, cuando me atendiste por primera vez tu voz era neutra, casi oficinesca, hasta que cerraste la puerta. Luego seguiste hablando con voz tierna. ¿Por qué ese cambio?

—Pero, Juan Pablo —respondió, poniéndose seria—, ¿cómo podía hablarte así delante de la mucama?

—Sí, eso es razonable; pero dijiste: "cuando cierro la puerta saben que no deben molestarme". Esa frase no podía referirse a mí, puesto que era la primera vez que te hablaba. Tampoco se podía referir a Hunter, puesto que lo puedes ver cuantas veces quieras en la estancia. Me parece evidente que debe de haber otras personas que te hablan o que te hablaban. ¿No es así?

María me miró con tristeza.

—En vez de mirarme con tristeza podrías contestar —comenté con irritación.

—Pero, Juan Pablo, todo lo que estás diciendo es una puerilidad. Claro que hablan otras personas: primos, amigos de la familia, mi madre, qué sé yo[116]. . .

—Pero me parece que para conversaciones de ese tipo no hay necesidad de ocultarse.

---

[113] **se extrañe tan poco** seems so little surprised.
[114] **no es lo acostumbrado** it's not the usual thing.
[115] **que . . . señorita** that you were called Miss.
[116] **qué sé yo** I don't know how many others.

—¡Y quién te autoriza a decir que yo me oculto! —respondió con violencia.

—No te excites. Tú misma me has hablado en una oportunidad de un tal Richard, que no era ni primo, ni amigo de la familia, ni tu madre.

María quedó muy abatida.

—Pobre Richard —comentó dulcemente.

—¿Por qué pobre?

—Tú sabes bien que se suicidó y que en cierto modo yo tengo algo de culpa. Me escribía cartas terribles, pero nunca pude hacer nada por él. Pobre, pobre Richard.

—Me gustaría que me mostrases alguna de esas cartas.

—¿Para qué, si ya ha muerto?

—No importa, me gustaría lo mismo.

—Las quemé todas.

—Podías haber dicho de entrada que las habías quemado. En cambio me dijiste "¿para qué, si ya ha muerto?" Siempre lo mismo. Además ¿por qué las quemaste, si es que verdaderamente lo has hecho? La otra vez me confesaste que guardas todas tus cartas de amor. Las cartas de ese Richard debían de ser muy comprometedoras para que hayas hecho eso. ¿O no?

—No las quemé porque fueran comprometedoras, sino porque eran tristes. Me deprimían.

—¿Por qué te deprimían?

—No sé. . . Richard era un hombre depresivo. Se parecía mucho a ti.

—¿Estuviste enamorada de él?

—Por favor. . .

—¿Por favor qué?

—Pero no, Juan Pablo. Tienes cada idea[117]. . .

—No veo que sea descabellada. Se enamora, te escribe cartas tan tremendas que juzgas mejor quemarlas, se suicida y piensas que mi idea es descabellada. ¿Por qué?

—Porque a pesar de todo nunca estuve enamorada de él.

—¿Por qué no?

—No sé, verdaderamente. Quizá porque no era mi tipo.

—Dijiste que se parecía a mí.

—Por Dios, quise decir que se parecía a ti en cierto sentido, pero no que fuera *idéntico*. Era un hombre incapaz de crear nada, era

[117] **Tienes cada idea** The strangest things occur to you.

destructivo, tenía una inteligencia mortal, era un nihilista. Algo así [95] como tu parte negativa.

—Está bien. Pero sigo sin comprender la necesidad de quemar las cartas.

—Te repito que las quemé porque me deprimían.

—Pero podías tenerlas guardadas sin leerlas. Eso sólo prueba que [100] las releíste hasta quemarlas. Y si las releías sería por algo, por algo que debería atraerte en él.

—Yo no he dicho que no me atrajese.

—Dijiste que no era tu tipo.

—Dios mío, Dios mío. La muerte tampoco es mi tipo y no obstante [5] muchas veces me atrae. Richard me atraía casi como me atrae la muerte, o la nada. Pero creo que uno no debe entregarse pasivamente a esos sentimientos. Por eso tal vez no lo quise. Por eso quemé sus cartas. Cuando murió, decidí destruir todo lo que prolongaba su existencia. [10]

Quedó deprimida y no pude lograr una palabra más acerca de Richard. Pero debo agregar que no era ese hombre el que más me torturó, porque al fin y al cabo de él llegué a saber bastante. Eran las personas desconocidas, las sombras que jamás mencionó y que sin embargo yo sentía moverse silenciosa y oscuramente en su vida. Las [15] peores cosas de María las imaginaba precisamente con esas sombras anónimas. Me torturaba y aún hoy me tortura una palabra que se escapó de sus labios en un momento de amor físico.

Pero de todos aquellos complejos interrogatorios, hubo uno que echó tremenda luz acerca de María y su amor. [20]

XIX

Naturalmente, puesto que se había casado con Allende, era lógico pensar que alguna vez debió sentir algo por ese hombre. Debo decir que este problema, que podríamos llamar "el problema Allende", fue uno de los que más me obsesionaron. Eran varios los enigmas que quería dilucidar, pero sobre todo estos dos: ¿lo había amado en [5] alguna oportunidad?, ¿lo amaba todavía? Estas dos preguntas no se podían tomar en forma aislada; estaban vinculadas a otras: si no amaba a Allende, ¿a quién amaba? ¿A mí? ¿A Hunter? ¿A alguno de esos misteriosos personajes del teléfono? ¿O bien era posible que

amara a distintos seres de manera diferente, como pasa en ciertos [10]
hombres? Pero también *era posible que no amara a nadie* y que
sucesivamente nos dijese a cada uno de nosotros, pobres diablos,
chiquilines, que éramos *el único* y que los demás eran simples sombras, seres con quienes mantenía una relación superficial o aparente.

Un día decidí aclarar el problema Allende. Comencé preguntándole [15]
por qué se había casado con él.

—Lo quería —me respondió.

—Entonces ahora no lo quieres.

—Yo no he dicho que haya dejado de quererlo —respondió.

—Dijiste "lo quería". No dijiste "lo quiero". [20]

—Haces siempre cuestiones de palabras y retuerces todo hasta lo
increíble —protestó María—. Cuando dije que me había casado
porque lo quería no quise decir que ahora no lo quiera.

—Ah, entonces lo amas a él —dije rápidamente, como queriendo
encontrarla en falta respecto a declaraciones hechas en interrogatorios [25]
anteriores.

Calló. Parecía abatida.

—¿Por qué no respondes? —pregunté.

—Porque me parece inútil. Este diálogo lo hemos tenido muchas
veces en forma casi idéntica. [30]

—No, no es lo mismo que otras veces. Te he preguntado si ahora
lo quieres a Allende y me has dicho que sí. Me parece recordar que
en otra oportunidad, en el puerto, me dijiste que yo era la primera
persona que habías amado.

María volvió a quedar callada. Me irritaba en ella que[118] no sola- [35]
mente era contradictoria sino que costaba un enorme esfuerzo sacarle
una declaración cualquiera.

—¿Qué dices a eso? —volví a interrogar.

—Hay muchas maneras de amar y de querer —respondió, can-
sada—. Te imaginarás que ahora no puedo seguir queriendo a [40]
Allende como hace años, cuando nos casamos, de la misma manera.

—¿De qué manera?

—¿Cómo, de qué manera? Sabes lo que quiero decir.

—No sé nada.

—Te lo he dicho muchas veces. [45]

—Lo has dicho, pero no lo has explicado nunca.

[118] **Me . . . que**   What irritated me about her was that.

—¡Explicado! —exclamó con amargura—. Tú has dicho mil veces que hay muchas cosas que no admiten explicación y ahora me dices que explique algo tan complejo. Te he dicho mil veces que Allende es un gran compañero mío, que lo quiero como a un hermano, que lo cuido, que tengo una gran ternura por él, una gran admiración por la serenidad de su espíritu, que me parece muy superior a mí en todo sentido, que a su lado me siento un ser mezquino y culpable. ¿Cómo puedes imaginar, pues, que no lo quiera?

—No soy yo el que ha dicho que no lo quieras. Tú misma me has dicho que ahora no es como cuando te casaste. Quizá debo concluir que cuando te casaste lo amabas como dices que ahora me amas a mí. Por otro lado, hace unos días, en el puerto, me dijiste que yo era la primera persona a la que habías amado verdaderamente.

María me miró tristemente.

—Bueno, dejemos de lado esta contradicción —proseguí—. Pero volvamos a Allende. Dices que lo quieres como a un hermano. Ahora quiero que me respondas a una sola pregunta: ¿tienes relaciones físicas con él?

María me miró con mayor tristeza. Estuvo un rato callada y al cabo me preguntó con voz muy dolorida:

—¿Es necesario que responda también a eso?

—Sí, es absolutamente necesario —le dije con dureza.

—Me parece horrible que me interrogues de este modo.

—Es muy sencillo: tienes que decir *sí* o *no*.

—La respuesta no es tan simple: se puede tener y no tener.

—Muy bien —concluí fríamente—. Eso quiere decir que sí.

—Muy bien: sí.

—Entonces lo deseas.

Hice esta afirmación mirando cuidadosamente sus ojos; la hacía con mala intención: era óptima para sacar una serie de conclusiones. No es que yo creyera que lo desease realmente (aunque también eso era posible dado el temperamento de María) sino que quería forzarle a aclarar eso de "cariño de hermano". María, tal como yo lo esperaba,[119] tardó en responder. Seguramente, estuvo pensando las palabras. Al fin dijo:

—He dicho que tengo relaciones con él, no que lo desee.

—¡Ah! —exclamé triunfalmente—. ¡Eso quiere decir que tienes relaciones sin desearlo pero *haciéndole creer que lo deseas!*

[119] **tal ... esperaba** just as I expected.

María quedó demudada. Por su rostro comenzaron a caer lágrimas 85
silenciosas. Su mirada era como de vidrio triturado.

—Yo no he dicho eso —murmuró lentamente.

—Porque es evidente —proseguí implacable— que si demostrases
no sentir nada, no desearlo, si demostrases que la unión física es un
sacrificio que haces en honor a su cariño, a tu admiración por su 90
espíritu superior, etcétera, Allende no volvería a acostarse jamás
contigo. En otras palabras: el hecho de que siga haciéndolo demuestra
que eres capaz de engañarlo no sólo acerca de tus sentimientos sino
hasta de tus sensaciones. Y que eres capaz de una imitación perfecta
del placer. 95

María lloraba en silencio y miraba hacia el suelo.

—Eres increíblemente cruel —pudo decir, al fin.

—Dejemos de lado las consideraciones de forma: me interesa el
fondo. El fondo es que eres capaz de engañar a tu marido durante
años, no sólo acerca de tus sentimientos sino también de tus sensa- 100
ciones. La conclusión podría inferirla un aprendiz: ¿por qué no has
de engañarme a mí también?[120] Ahora comprenderás por qué muchas
veces te he indagado la veracidad de tus sensaciones.[121] Siempre
recuerdo cómo el padre de Desdémona advirtió a Otelo que una
mujer que había engañado al padre podía engañar a otro hombre. Y 5
a mí nada me ha podido sacar de la cabeza este hecho: el que has
estado engañando constantemente a Allende, durante años.

Por un instante, sentí el deseo de llevar la crueldad hasta el máximo
y agregué, aunque me daba cuenta de su vulgaridad y torpeza:

—Engañando a un ciego. 10

XX

Ya antes de decir esa frase estaba un poco arrepentido: debajo
del que quería decirla[122] y experimentar una perversa satisfacción,
un ser más puro y más tierno se disponía a tomar la iniciativa en
cuanto la crueldad de la frase hiciese su efecto y, en cierto modo, ya
silenciosamente, había tomado el partido de María antes de pronun- 5
ciar esas palabras estúpidas e inútiles (¿qué podía lograr, en efecto,

[120] **¿por qué ... también?** why shouldn't you also deceive me?
[121] **te ... sensaciones** I have questioned whether your sensations were real or not.
[122] **debajo ... decirla** underneath the one who wanted to say it.

con ellas?). De manera que, apenas comenzaron a salir de mis labios, ya ese ser de abajo las oía con estupor, como si a pesar de todo no hubiera creído seriamente en la posibilidad de que el otro las pronunciase. Y a medida que salieron, comenzó a tomar el mando de mi conciencia y de mi voluntad y casi llega su decisión a tiempo para impedir que la frase saliera completa. Apenas terminada (porque a pesar de todo terminé la frase), era totalmente dueño de mí y ya ordenaba pedir perdón, humillarme delante de María, reconocer mi torpeza y mi crueldad. ¡Cuántas veces esta maldita división de mi conciencia ha sido la culpable de hechos atroces! Mientras una parte me lleva a tomar una hermosa actitud, la otra denuncia el fraude, la hipocresía y la falsa generosidad; mientras una me lleva a insultar a un ser humano, la otra se conduele de él y me acusa a mí mismo de lo que denuncio en los otros; mientras una me hace ver la belleza del mundo, la otra me señala su fealdad y la ridiculez de todo sentimiento de felicidad. En fin, ya era tarde, de todos modos, para cerrar la herida abierta en el alma de María (y esto me lo aseguraba sordamente, con remota, satisfecha malevolencia el otro yo que ahora estaba hundido allá, en una especie de inmunda cueva), ya era irremediablemente tarde. María se incorporó en silencio, con infinito cansancio, mientras su mirada (¡cómo la conocía!) levantaba el puente levadizo que a veces tendía entre nuestras almas: ya era la mirada dura de unos ojos impenetrables. De pronto me acometió la idea de que ese puente se había levantado para siempre y en la repentina desesperación no vacilé en someterme a las humillaciones más grandes: besar sus pies, por ejemplo. Sólo logré que me mirara con piedad y que sus ojos se ablandasen por un instante. Pero de piedad, sólo de piedad.

Mientras salía del taller y me aseguraba, una vez más, que no me guardaba rencor,[123] yo me hundí en una aniquilación total de la voluntad. Quedé sin atinar a nada,[124] en medio del taller, mirando como un alelado un punto fijo. Hasta que, de pronto, tuve conciencia de que debía hacer una serie de cosas.

Corrí a la calle, pero María ya no se veía por ningún lado. Corrí a su casa en un taxi, porque supuse que ella no iría directamente y, por lo tanto, esperaba encontrarla a su llegada. Esperé en vano durante

[123] **que ... rencor** that she held no grudge against me.
[124] **Quedé ... nada** My mind was a complete blank.

más de una hora. Hablé por teléfono desde un café: me dijeron que no estaba y que no había vuelto desde las cuatro (la hora en que había salido para mi taller). Esperé varias horas más. Luego volví a ⁴⁵ hablar por teléfono: me dijeron que María no iría a la casa hasta la noche.

Desesperado, salí a buscarla por todas partes, es decir, por los lugares en que habitualmente nos encontrábamos o caminábamos: la Recoleta, la Avenida Centenario, la Plaza Francia, Puerto Nuevo. No ⁵⁰ la vi por ningún lado, hasta que comprendí que lo más probable era, precisamente, que caminara por cualquier parte menos por los lugares que le recordasen nuestros mejores momentos. Corrí de nuevo hasta su casa, pero era muy tarde y probablemente ya hubiera entrado. Telefoneé nuevamente: en efecto, había vuelto; pero me dijeron que ⁵⁵ estaba en cama y que le era imposible atender el teléfono. Había dado mi nombre, sin embargo.

Algo se había roto entre nosotros.

XXI

Volví a casa con la sensación de una absoluta soledad.

Generalmente, esa sensación de estar solo en el mundo aparece mezclada a un orgulloso sentimiento de superioridad: desprecio a los hombres, los veo sucios, feos, incapaces, ávidos, groseros, mezquinos; mi soledad no me asusta, es casi olímpica. ⁵

Pero en aquel momento, como en otros semejantes, me encontraba solo como consecuencia de mis peores atributos, de mis bajas acciones. En esos casos siento que el mundo es despreciable, pero comprendo que yo también formo parte de él; en esos instantes me invade una furia de aniquilación, me dejo acariciar por la tentación del ¹⁰ suicidio, me emborracho, busco a las prostitutas. Y siento cierta satisfacción en probar mi propia bajeza y en verificar que no soy mejor que los sucios monstruos que me rodean.

Esa noche me emborraché en un cafetín del bajo. Estaba en lo peor de mi borrachera cuando sentí tanto asco de la mujer que estaba ¹⁵ conmigo y de los marineros que me rodeaban que salí corriendo a la calle. Caminé por Viamonte y descendí hasta los muelles. Me senté por ahí y lloré. El agua sucia, abajo, me tentaba constantemente: ¿para qué sufrir? El suicidio seduce por su facilidad de aniquilación[125]: en un segundo, todo este absurdo universo se derrumba como 20 un gigantesco simulacro, como si la solidez de sus rascacielos, de sus acorazados, de sus tanques, de sus prisiones, no fuera más que una fantasmagoría, sin más solidez que los rascacielos, acorazados, tanques y prisiones de una pesadilla.

La vida aparece a la luz de este razonamiento como una larga pesa- 25 dilla, de la que sin embargo uno puede liberarse con la muerte, que sería, así, una especie de despertar. ¿Pero despertar a qué? Esa irresolución de arrojarse a la nada absoluta[126] y eterna me ha detenido en todos los proyectos de suicidio. A pesar de todo, el hombre tiene tanto apego a lo que existe, que prefiere finalmente soportar su im- 30 perfección y el dolor que causa su fealdad, antes que aniquilar la fantasmagoría con un acto de propia voluntad. Y suele resultar, también, que cuando hemos llegado hasta ese borde de la desesperación que precede al suicidio, por haber agotado el inventario de todo lo que es malo y haber llegado al punto en que el mal es insuperable, cualquier 35 elemento bueno, por pequeño que sea, adquiere un desproporcionado valor, termina por hacerse decisivo y nos aferramos a él como nos agarraríamos desesperadamente de cualquier hierba ante el peligro de rodar en un abismo.

Era casi de madrugada cuando decidí volver a casa. No recuerdo 40 cómo, pero, a pesar de esa decisión (que recuerdo perfectamente), me encontré de pronto frente a la casa de Allende. Lo curioso es que no recuerdo los hechos intermedios. Me veo sentado en los muelles, mirando el agua sucia y pensando: "Ahora tengo que acostarme" y luego me veo frente a la casa de Allende, observando el quinto piso. 45 ¿Para qué miraría? Era absurdo imaginar que a esas horas pudiera verla de algún modo. Estuve large rato, estupefacto, hasta que se me ocurrió una idea: bajé hasta la avenida, busqué un café y llamé por teléfono. Lo hice sin pensar qué diría para justificar un llamado a semejante hora. Cuando me atendieron, después de haber llamado 50 durante unos cinco minutos, me quedé paralizado, sin abrir la boca. Colgué el tubo, despavorido, salí del café y comencé a caminar al azar. De pronto me encontré nuevamente en el café. Para no llamar

[125] **El ... aniquilación**   Suicide is attractive because it makes annihilation so easy.
[126] **de ... absoluta**   of plunging into absolute nothingness.

la atención,[127] pedí una ginebra y mientras la bebía me propuse volver a mi casa.   55

Al cabo de un tiempo bastante largo me encontré por fin en el taller. Me eché, vestido, sobre la cama y me dormí.

XXII

Desperté tratando de gritar y me encontré de pie en medio del taller. Había soñado esto: teníamos que ir, varias personas, a la casa de un señor que nos había citado. Llegué a la casa, que desde afuera parecía como cualquier otra, y entré. Al entrar tuve la certeza instantánea de que no era así, de que era diferente a las demás. El   5
dueño me dijo:

—Lo estaba esperando.

Intuí que había caído en una trampa y quise huir. Hice un enorme esfuerzo, pero era tarde: mi cuerpo ya no me obedecía. Me resigné a presenciar lo que iba a pasar,[128] como si fuera un acontecimiento   10
ajeno a mi persona. El hombre aquel comenzó a transformarme en pájaro, en un pájaro de tamaño humano. Empezó por los pies: vi cómo se convertían poco a poco en unas patas de gallo o algo así. Después siguió la transformación de todo el cuerpo, hacia arriba, como sube el agua en un estanque. Mi única esperanza estaba ahora   15
en los amigos, que inexplicablemente no habían llegado: Cuando por fin llegaron, sucedió algo que me horrorizó: no notaron mi transformación. Me trataron como siempre, lo que probaba que me veían como siempre. Pensando que el mago los ilusionaba de modo que me vieran como una persona normal, decidí referir lo que me había   20
hecho. Aunque mi propósito era referir el fenómeno con tranquilidad, para no agravar la situación irritando al mago con una reacción demasiado violenta (lo que podría inducirlo a hacer algo todavía peor), comencé a contar todo a gritos.[129] Entonces observé dos hechos asombrosos: la frase que quería pronunciar salió convertida   25
en un áspero chillido de pájaro, un chillido desesperado y extraño, quizá por lo que encerraba de humano; y, lo que era infinitamente

---

[127] **Para . . . atención**   In order not to attract attention.
[128] **Me . . . pasar**   I resigned myself to witnessing what was going to happen.
[129] **comencé . . . gritos**   I began to shout everything.

peor, mis amigos no oyeron ese chillido, como no habían visto mi cuerpo de gran pájaro; por el contrario, parecían oír mi voz habitual diciendo cosas habituales, porque en ningún momento mostraron el [30] menor asombro. Me callé, espantado. El dueño de casa me miró entonces con un sarcástico brillo en sus ojos, casi imperceptible y en todo caso sólo advertido por mí. Entonces comprendí que *nadie, nunca,* sabría que yo había sido transformado en pájaro. Estaba perdido para siempre y el secreto iría conmigo a la tumba. [35]

XXIII

Como dije, cuando desperté estaba en medio de la habitación, de pie, bañado en un sudor frío.

Miré el reloj: eran las diez de la mañana. Corrí al teléfono. Me dijeron que se había ido a la estancia. Quedé anonadado. Durante largo tiempo permanecí echado en la cama, sin decidirme a nada, [5] hasta que resolví escribirle una carta.

No recuerdo ahora las palabras exactas de aquella carta, que era muy larga, pero más o menos le decía que me perdonase, que yo era una basura, que no merecía su amor, que estaba condenado, con justicia, a morir en la soledad más absoluta. [10]

Pasaron días atroces, sin que llegara respuesta. Le envié una segunda carta y luego una tercera y una cuarta, diciendo siempre lo mismo, pero cada vez con mayor desolación. En la última, decidí relatarle todo lo que había pasado aquella noche que siguió a nuestra separación. No escatimé detalle ni bajeza, como tampoco dejé de con- [15] fesarle[130] la tentación de suicidio. Me dio vergüenza usar eso como arma, pero la usé. Debo agregar que mientras describía mis actos más bajos y la desesperación de mi soledad en la noche, frente a su casa de la calle Posadas, sentía ternura para conmigo mismo y hasta lloré de compasión. Tenía muchas esperanzas de que María sintiese algo [20] parecido al leer la carta y con esa esperanza me puse bastante alegre. Cuando despaché la carta, certificada, estaba francamente optimista.

A vuelta de correo[131] llegó una carta de María, llena de ternura. Sentí que algo de nuestros primeros instantes de amor volvería a reproducirse, si no con la maravillosa transparencia original, al menos [25]

---

[130] **como . . . confesarle**   nor did I fail to confess to her.
[131] **A vuelta de correo**   By return mail.

con algunos de sus atributos esenciales, así como un rey es siempre un rey, aunque vasallos infieles y pérfidos lo hayan momentáneamente traicionado y enlodado.

Quería que fuera a la estancia. Como un loco, preparé una valija, una caja de pinturas y corrí a la estación Constitución.   30

XXIV

La estación *Allende* es una de esas estaciones de campo con unos cuantos paisanos, un jefe en mangas de camisa, una volanta y unos tarros de leche.

Me irritaron dos hechos: la ausencia de María y la presencia de un chófer.   5

Apenas descendí, se me acercó y me preguntó:

—¿Usted es el señor Castel?

—No —respondí serenamente—. No soy el señor Castel.

En seguida pensé que iba a ser difícil esperar en la estación el tren de vuelta; podría tardar medio día o cosa así. Resolví, con malhumor,   10
reconocer mi identidad.

—Sí —agregué, casi inmediatamente—, soy el señor Castel.

El chófer me miró con asombro.

—Tome —le dije, entregándole mi valija y mi caja de pintura.

Caminamos hasta el auto.   15

—La señora María ha tenido una indisposición —me explicó el hombre.

"¡Una indisposición!", murmuré con sorna. ¡Cómo conocía esos subterfugios! Nuevamente me acometió la idea de volverme a Buenos Aires, pero ahora, además de la espera del tren había otro hecho: la   20
necesidad de convencer al chófer de que yo no era, efectivamente, Castel o, quizá, la necesidad de convencerlo de que, si bien era el señor Castel, no era loco. Medité rápidamente en las diferentes posibilidades que se me presentaban y llegué a la conclusión de que, en cualquier caso, sería difícil convencer al chófer. Decidí dejarme arras-   25
trar a la estancia. Además, ¿qué pasaría en caso de volverme?[132]
Era fácil de prever porque sería la repetición de muchas situaciones anteriores: me quedaría con mi rabia, aumentada por la imposibilidad de descargarla en María, sufriría horriblemente por no verla, no

[132] **¿qué . . . volverme?**   what would happen if I were to return?

podría trabajar; y todo en honor a una hipotética mortificación de ³⁰
María. Y digo *hipotética* porque jamás pude comprobar si verdaderamente la mortificaban esa clase de represalias.

Hunter tenía cierto parecido con Allende (creo haber dicho ya que
son primos); era alto, moreno, más bien flaco; pero de mirada es-
curridiza. "Este hombre es un abúlico y un hipócrita", pensé. Este ³⁵
pensamiento me alegró (al menos así lo creí en ese instante).

Me recibió con una cortesía irónica y me presentó a una mujer
flaca que fumaba con una boquilla larguísima. Tenía un acento
parisiense, se llamaba Mimí Allende, era malvada y miope.

¿Pero dónde diablos se habría metido María?¹³³ ¿Estaría indis- ⁴⁰
puesta de verdad, entonces? Yo estaba tan ansioso que me había
olvidado casi de la presencia de esos entes. Pero al recordar de pronto
mi situación, me di bruscamente vuelta,¹³⁴ en dirección a Hunter,
para *controlarlo*. Es un método que da excelentes resultados con individuos de este género. ⁴⁵

Hunter estaba escrutándome con ojos irónicos, que trató de cambiar instantáneamente.

—María tuvo una indisposición y se ha recostado —dijo—. Pero
creo que bajará pronto.

Me maldije mentalmente por distraerme: con esa gente era necesa- ⁵⁰
rio estar en constante guardia; además, tenía el firme propósito de
levantar un censo de sus formas de pensar, de sus chistes, de sus
reacciones, de sus sentimientos: todo me era de gran utilidad con
María. Me dispuse, pues, a *escuchar y ver* y traté de hacerlo en el
mejor estado de ánimo posible. Volví a pensar que me alegraba el ⁵⁵
aspecto de general hipocresía de Hunter y la flaca. Sin embargo, mi
estado de ánimo era sombrío.

—Así que usted es pintor —dijo la mujer miope, mirándome con
los ojos semicerrados, como se hace cuando hay viento con tierra.
Ese gesto, provocado seguramente por su deseo de mejorar la miopía ⁶⁰
sin anteojos (como si con anteojos pudiera ser más fea) aumentaba
su aire de insolencia e hipocresía.

—Sí, señora —respondí con rabia. Tenía la certeza de que era
señorita.

—Castel es un magnífico pintor —explicó el otro. ⁶⁵

Después agregó una serie de idioteces a manera de elogio, repi-
tiendo esas pavadas que los criticos escribían sobre mí cada vez que

¹³³ **¿Pero... María?** But where in the devil was Maria?
¹³⁴ **me... vuelta** I turned quickly.

había una exposición: "sólido", etcétera. No puedo negar que al repetir esos lugares comunes revelaba cierto sentido del humor. Vi que Mimí volvía a examinarme con los ojitos semicerrados y me ⁷⁰ puse bastante nervioso, pensando que hablaría de mí. Aún no la conocía bien.

—¿Qué pintores prefiere? —me preguntó como quien está tomando examen.

No, ahora que recuerdo, eso me lo preguntó después que bajamos. ⁷⁵ Apenas me presentó a esa mujer, que estaba sentada en el jardín, cerca de una mesa donde se habían puesto las cosas para el té, Hunter me llevó adentro, a la pieza que me habían destinado. Mientras subíamos (la casa tenía dos pisos) me explicó que la casa, con algunas mejoras, era casi la misma que había construido el abuelo en ⁸⁰ el viejo casco de la estancia del bisabuelo. "¿Y a mí qué importa?", pensaba yo. Era evidente que el tipo quería mostrarse sencillo y franco, aunque ignoro con qué objeto. Mientras él decía algo de un reloj de sol o de algo con sol, yo pensaba que María quizá debía estar en alguna de las habitaciones de arriba. Quizá por mi cara es- ⁸⁵ crutadora,¹³⁵ Hunter me dijo:

—Acá hay varios dormitorios. En realidad la casa es bastante cómoda, aunque está hecha con un criterio muy gracioso.

Recordé que Hunter era arquitecto. Habría que ver qué entendía por construcciones no graciosas. ⁹⁰

—Este es el viejo dormitorio del abuelo y ahora lo ocupo yo —me explicó señalando el del medio, que estaba frente a la escalera.

Después me abrió la puerta de un dormitorio próximo.

—Este es su cuarto —explicó.

Me dejó solo en la pieza y dijo que me esperaría abajo para el té. ⁹⁵ Apenas quedé solo, mi corazón comenzó a latir con fuerza pues pensé que María podría estar en cualquiera de esos dormitorios, quizá en el cuarto de al lado. Parado en medio de la pieza, no sabía qué hacer. Tuve una idea: me acerqué a la pared que daba al otro dormitorio (no al de Hunter) y golpeé suavemente con mi puño. ¹⁰⁰ Esperé respuesta, pero no me contestó. Salí al corredor, miré si no había nadie, me acerqué a la puerta de al lado y mientras sentía una gran agitación levanté el puño para golpear. No tuve valor y volví casi corriendo a mi cuarto. Después decidí bajar al jardín. Estaba muy desorientado. ⁵

---

¹³⁵ **Quizá . . . escrutadora** Perhaps due to my scrutinizing look.

XXV

Fue una vez en la mesa que la flaca me preguntó a qué pintores prefería. Cité torpemente algunos nombres: Van Gogh, el Greco. Me miró con ironía y dijo, como para sí:

—*Tiens.*[136]

Después agregó:

—A mí me disgusta la gente demasiado grande. Te diré —prosiguió dirigiéndose a Hunter— que esos tipos como Miguel Angel o el Greco me molestan. ¡Es tan agresiva la grandeza y el dramatismo! ¿No crees que es casi mala educación? Yo creo que el artista debería imponerse el deber de no llamar jamás la atención.[137] Me indignan los excesos de dramatismo y de originalidad. Fíjate que ser original es en cierto modo estar poniendo de manifiesto la mediocridad de los demás, lo que me parece de gusto muy dudoso. Creo que si yo pintase o escribiese haría cosas que no llamasen la atención en ningún momento.

—No lo pongo en duda —comentó Hunter con malignidad.

Después agregó:

—Estoy seguro de que no te gustaría escribir, por ejemplo, *Los hermanos Karamazov.*

—*Quelle horreur!*[138] —exclamó Mimí, dirigiendo los ojitos hacia el cielo. Después completó su pensamiento:

Todos parecen *nouveaux-riches*[139] de la conciencia, incluso ese *moine*[140] ¿cómo se llama?. . . *Zozime.*

—¿Por qué no dices Zózimo, Mimí? A menos que te decidas a decirlo en ruso.

—Ya empiezas con tus tonterías puristas. Ya sabes que los nombres rusos pueden decirse de muchas maneras. Como decía aquel personaje de una *farce*[141]: "Tolstói o Tolstuá, que de las dos maneras se puede y se debe decir".

—Será por eso —comentó Hunter— que en una traducción española que acabo de leer (directa del ruso, según la editorial) ponen Tolstoi con diéresis en la *i.*

---

[136] *Tiens* (French) Well.
[137] *el deber . . . atención* the obligation of never attracting attention.
[138] *Quelle horreur!* (French) Horrors!
[139] *nouveaux-riches* (French) persons newly rich.
[140] *moine* (French) monk.
[141] *farce* (French) farce, interlude.

—Ay, me encantan esas cosas —comentó alegremente Mimí—. Yo leí una vez una traducción francesa de Tchékhov donde te encontrabas, por ejemplo, con una palabra como *ichvochnik* (o algo ³⁵ por el estilo) y había una llamada. Te ibas al pie de la página y te encontrabas con que significaba, pongo por caso, *porteur*.¹⁴² Imagínate que en ese caso no se explica uno por qué no ponen en ruso también palabras como *malgré*¹⁴³ o *avant*.¹⁴⁴ ¿No te parece? Te diré que las cosas de los traductores me encantan, sobre todo cuando son ⁴⁰ novelas rusas. ¿Usted aguanta una novela rusa?

Esta última pregunta la dirigió imprevistamente a mí, pero no esperó respuesta y siguió diciendo, mirando de nuevo a Hunter:

—Fíjate que nunca he podido acabar una novela rusa. Son tan trabajosas. . . Aparecen millares de tipos y al final resulta que no son ⁴⁵ más que cuatro o cinco. Pero claro, cuando te empiezas a orientar con un señor que se llama Alexandre, luego resulta que se llama Sacha y luego Stachka y luego Sachenka, y de pronto algo grandioso como Alexandre Alexandrovitch Bunine y más tarde es simplemente Alexandre Alexandrovitch. Apenas te has orientado, ya te despistan ⁵⁰ nuevamente. Es cosa de no acabar¹⁴⁵: cada personaje parece una familia. No me vas a decir que no es agotador, mismo para tí.

—Te vuelvo a repetir, Mimí, que no hay motivos para que digas los nombres rusos en francés. ¿Por qué en vez de decir Tchékhov no dices Chéjov, que se parece más al original? Además, ese ⁵⁵ "mismo" es un horrendo galicismo.

—Por favor —suplicó Mimí— no te pongas tan aburrido,¹⁴⁶ Luisito. ¿Cuándo aprenderás a disimular tus conocimientos? Eres tan abrumador, tan *épuisant*¹⁴⁷. . . ¿no le parece? —concluyó de pronto, dirigiéndose a mí. ⁶⁰

—Sí —respondí casi sin darme cuenta de lo que decía.

Hunter me miró con ironía.

Yo estaba horriblemente triste. Después dicen que soy impaciente. Todavía hoy me admira que haya oído con tanta atención todas esas idioteces y, sobre todo, que las recuerde con tanta fidelidad. Lo ⁶⁵ curioso es que mientras las oía trataba de alegrarme haciéndome esta reflexión: "Esta gente es frívola, superficial. Gente así no puede

---

¹⁴² *porteur* (*French*) porter.
¹⁴³ *malgré* (*French*) in spite of.
¹⁴⁴ *avant* (*French*) before.
¹⁴⁵ **Es . . . acabar** It's endless.
¹⁴⁶ **no . . . aburrido** don't be so boring.
¹⁴⁷ *épuisant* (*French*) exhausting.

producir en María más que un sentimiento de soledad. GENTE ASÍ NO PUEDE SER RIVAL." Y sin embargo no lograba ponerme alegre. Sentía que en lo más profundo alguien me recomendaba tristeza. Y [70] al no poder darme cuenta de la raíz de esta tristeza me ponía malhumorado, nervioso; por más que trataba de calmarme[148] prometiéndome examinar el fenómeno cuando estuviese solo. Pensé, también, que la causa de la tristeza podía ser la ausencia de María; pero me di cuenta de que esa ausencia más me irritaba que entristecía. *No* [75] *era eso.*

Ahora estaban hablando de novelas policiales: oí de pronto que la mujer preguntaba a Hunter si había leído la última novela del *Séptimo círculo.*

—¿Para qué? —respondió Hunter—. Todas las novelas policiales [80] son iguales. Una por año, está bien. Pero una por semana me parece demostrar poca imaginación en el lector.

Mimí se indignó. Quiero decir, *simuló que se indignaba.*

—No digas tonterías —dijo—. Son la única clase de novela que puedo leer ahora. Te diré que me encantan. Todo tan complicado y [85] *detectives* tan maravillosos que saben de todo: arte de la época de Ming, grafología, teoría de Einstein, *base-ball,* arqueología, quiromancia, economía política, estadísticas de la cría de conejos en la India. Y después son tan infalibles que da gusto. ¿No es cierto? —preguntó dirigiéndose nuevamente a mí. [90]

Me tomó tan inesperadamente que no supe qué responder.

—Sí, es cierto —dije, por decir algo.[149]

Hunter volvió a mirarme con ironía.

—Le diré a Martincito que las novelas policiales te revientan —agregó Mimí, mirando a Hunter con severidad. [95]

—Yo no he dicho que me revienten: he dicho que me parecen todas semejantes.

—De cualquier manera se lo diré a Martincito. Menos mal que no todo el mundo tiene tu pedantería.[150] Al señor Castel, por ejemplo, le gustan ¿no es cierto? [100]

—¿A mí? —pregunté horrorizado.

—Claro —prosiguió Mimí, sin esperar mi respuesta y volviendo la vista nuevamente hacia Hunter— que si todo el mundo fuera tan

---

[148] **por ... calmarme** no matter how hard I tried to calm down.
[149] **por decir algo** just to say something.
[150] **Menos ... pedantería** At least not everyone is as pedantic as you are.

savant[151] como tú no se podría ni vivir. Estoy segura que ya debes
tener toda una teoría sobre la novela policial.   5
—Así es —aceptó Hunter, sonriendo.
¿No le decía? —comentó Mimí con severidad, dirigiéndose de
nuevo a mí y como poniéndome de testigo—. No, si yo a éste lo
conozco bien. A ver, no tengas ningún escrúpulo en lucirte. Te debes
estar muriendo de las ganas de explicarla.   10
Hunter, en efecto, no se hizo rogar mucho.[152]
—Mi teoría —explicó— es la siguiente: la novela policial representa en el siglo veinte lo que la novela de caballería en la época
de Cervantes. Más, todavía: creo que podría hacerse algo equivalente
a *Don Quijote:* una sátira de la novela policial. Imaginen ustedes un   15
individuo que se ha pasado la vida leyendo novelas policiales y que
ha llegado a la locura de creer que el mundo funciona como una
novela de Nicholas Blake o de Ellery Queen. Imaginen que ese pobre
tipo se larga finalmente a descubrir crímenes y a proceder en la
vida real como procede un *detective* en una de esas novelas. Creo   20
que se podría hacer algo divertido, trágico, simbólico, satírico y
hermoso.
—¿Y por qué no lo haces? —preguntó burlonamente Mimí.
—Por dos razones: no soy Cervantes y tengo mucha pereza.
—Me parece que basta con la primera razón —opinó Mimí.   25
Después se dirigió desgraciadamente a mí:
—Este hombre —dijo señalando de costado a Hunter con su
larga boquilla— habla contra las novelas policiales porque es incapaz
de escribir una sola, aunque sea la novela más aburrida del mundo.
—Dame un cigarrillo —dijo Hunter, dirigiéndose a su prima.   30
Después agregó:
—Cuándo dejarás de ser tan exagerada. En primer lugar, yo no
he hablado contra las novelas policiales: simplemente dije que se
podría escribir algo así como el *Don Quijote* de nuestra época. En
segundo lugar, te equivocas sobre mi absoluta incapacidad para ese   35
género. Una vez se me ocurrió una linda idea para una novela
policial.
—*Sans blague*[153] —se limitó a decir Mimí.

---

[151] **savant** (*French*) wise.
[152] **no ... mucho** he didn't need much coaxing.
[153] **Sans blague** (*French*) Is that right.

—Sí, te digo que sí.[154] Fíjate: un hombre tiene madre, mujer y un chico. Una noche matan misteriosamente a la madre. Las in- 40 vestigaciones de la policía no llegan a ningún resultado. Un tiempo después matan a la mujer; la misma cosa. Finalmente matan al chico. El hombre está enloquecido, pues quiere a todos, sobre todo al hijo. Desesperado, decide investigar los crímenes por su cuenta. Con los habituales métodos inductivos, deductivos, analíticos, sintéticos, 45 etcétera, de esos genios de la novela policial, llega a la conclusión de que el asesino deberá cometer un cuarto asesinato, el día tal, a la hora tal, en el lugar tal. Su conclusión es que el asesino deberá matarlo ahora a él. En el día y hora calculados, el hombre va al lugar donde debe cometerse el cuarto asesinato y espera al asesino. 50 Pero el asesino no llega. Revisa sus deducciones: podría haber calculado mal el lugar; no, el lugar está bien; podría haber calculado mal la hora: no, la hora está bien. La conclusión es horrorosa: *el asesino debe estar ya en el lugar.* En otras palabras: *el asesino es él mismo,* que ha cometido los otros crímenes en estado de incons- 55 ciencia. El *detective* y el asesino son la misma persona.

—Demasiado original para mi gusto —comentó Mimí—. ¿Y cómo concluye? ¿No decías que debía haber un cuarto asesinato?

—La conclusión es evidente —dijo Hunter, con pereza—: el hombre se suicida. Queda la duda de si se mata por remordimientos 60 o si el yo asesino mata al yo *detective,* como en un vulgar asesinato. ¿No te gusta?

—Me parece divertido. Pero una cosa es contarla así y otra escribir la novela.

—En efecto —admitió Hunter, con tranquilidad. 65

Después la mujer empezó a hablar de un quiromántico que había conocido en Mar del Plata y de una señora vidente. Hunter hizo un chiste y Mimí se enojó:

—Te imaginarás que tiene que ser algo serio —dijo—. El marido es profesor en la facultad de ingeniería. 70

Siguieron discutiendo de telepatía y yo estaba desesperado porque María no aparecía. Cuando los volví a atender, estaban hablando del estatuto del peón.

—Lo que pasa —dictaminó Mimí, empuñando la boquilla como una batuta— es que la gente no quiere trabajar más. 75

---

[154] **te digo que sí** that's right.

Hacia el final de la conversación tuve una repentina iluminación que me disipó la inexplicable tristeza: intuí que la tal Mimí había llegado a último momento y que María no bajaba para no tener que soportar las opiniones (que seguramente conocía hasta el cansancio) de Mimí y su primo. Pero ahora que recuerdo, esta intuición no fue [80] completamente irracional sino la consecuencia de unas palabras que me había dicho el chófer mientras íbamos a la estancia y en las que yo no puse al principio ninguna atención; algo referente a una prima del señor que acababa de llegar de Mar del Plata, para tomar el té. La cosa era clara: María, desesperada por la llegada repentina de [85] esa mujer, se había encerrado en su dormitorio pretextando una indisposición; era evidente que no podía soportar a semejantes personajes. Y el sentir que mi tristeza se disipaba con esta deducción me iluminó bruscamente la causa de esa tristeza: al llegar a la casa y ver que Hunter y Mimí eran unos hipócritas y unos frívolos, la [90] parte más superficial de mi alma se alegró, porque veía de ese modo que no había competencia posible en Hunter; pero mi capa más profunda se entristeció al pensar (mejor dicho, *al sentir*) que María formaba también parte de ese círculo y que, de alguna manera, podría tener atributos parecidos. [95]

XXVI

Cuando nos levantamos de la mesa para caminar por el parque, vi que María se acercaba a nosotros, lo que confirmaba mi hipótesis: había esperado ese momento para acercársenos, evitando la absurda conversación en la mesa.

Cada vez que María se aproximaba a mí en medio de otras per- [5] sonas, yo pensaba: "Entre este ser maravilloso y yo hay un vínculo secreto" y luego, cuando analizaba mis sentimientos, advertía que ella había empezado a serme indispensable (como alguien que uno encuentra en una isla desierta) para convertirse más tarde, una vez que el temor de la soledad absoluta ha pasado, en una especie de [10] lujo que me enorgullecía, y era en esta segunda fase de mi amor en que habían empezado a surgir mil dificultades; del mismo modo que cuando alguien se está muriendo de hambre acepta cualquier cosa, incondicionalmente, para luego, una vez que lo más urgente ha sido

satisfecho, empezar a quejarse crecientemente de sus defectos e in- 15
convenientes. He visto en los últimos años emigrados que llegaban
con la humildad de quien ha escapado a los campos de concentración,
aceptar cualquier cosa para vivir y alegremente desempeñar los trabajos más humillantes; pero es bastante extraño que a un hombre
no le baste con haber escapado a la tortura y a la muerte para vivir 20
contento: en cuanto empieza a adquirir nueva seguridad, el orgullo,
la vanidad y la soberbia, que al parecer habían sido aniquilados para
siempre, comienzan a reaparecer, como animales que hubieran huido
asustados; y en cierto modo a reaparecer con mayor petulancia,
como avergonzados de haber caído hasta ese punto. No es difícil[155] 25
que en tales circunstancias se asista a actos de ingratitud y de desconocimiento.

Ahora que puedo analizar mis sentimientos con tranquilidad,
pienso que hubo algo de eso en mis relaciones con María y siento
que, en cierto modo, estoy pagando la insensatez de no haberme 30
conformado con la parte de María que me salvó (momentáneamente)
de la soledad. Ese estremecimiento de orgullo, ese deseo creciente
de posesión exclusiva debían haberme revelado que iba por mal
camino, aconsejado por la vanidad y la soberbia.

En ese momento, al ver venir a María, ese orgulloso sentimiento 35
estaba casi abolido por una sensación de culpa y de vergüenza provo-
cada por el recuerdo de la atroz escena en mi taller, de mi estúpida,
cruel y hasta vulgar acusación de "engañar a un ciego". Sentí que
mis piernas se aflojaban y que el frío y la palidez invadían mi rostro.
¡Y encontrarme así, en medio de esa gente! ¡Y no poder arrojarme 40
humildemente para que me perdonase y calmase el horror y el
desprecio que sentía por mí mismo!

María, sin embargo, no pareció perder el dominio y yo comencé
inmediatamente a sentir que la vaga tristeza de esa tarde comenzaba
a poseerme de nuevo. 45

Me saludó con una expresión muy medida, como queriendo probar
ante los dos primos que entre nosotros no había más que una simple
amistad. Recordé, con un malestar de ridículo, una actitud que
había tenido con ella unos días antes. En uno de esos arrebatos de
desesperación, le había dicho que algún día quería recorrer con ella 50
los muelles del Sena al atardecer o mirar, desde una colina, las torres

[155] **No es difícil** It's not unlikely.

de San Gemignano. Me miró con fervor y me dijo: "¡Qué maravilloso, Juan Pablo!" Pero cuando le propuse que nos escapásemos esa misma noche, se espantó, su rostro se endureció y dijo, sombríamente: "No tenemos derecho a pensar en nosotros solos. El mundo [55] es muy complicado." Le pregunté qué quería decir con eso. Me respondió, con acento aún más sombrío: "La felicidad está rodeada de dolor." La dejé bruscamente, sin saludarla. Más que nunca, sentí que jamás llegaría a unirme con ella en forma total y que debía resignarme a tener frágiles momentos de comunión, tan melancóli- [60] camente inasibles como el recuerdo de ciertos sueños, o como la felicidad de algunos pasajes musicales.

Y ahora llegaba y controlaba cada movimiento, calculaba cada palabra, cada gesto de su cara. ¡Hasta era capaz de sonreír a esa otra mujer! [65]

Me preguntó si había traído las manchas.

—¡Qué manchas! —exclamé con rabia, sabiendo que malograba alguna complicada maniobra, aunque fuera en favor nuestro.

—Las manchas que prometió mostrarme —insistió con tranquilidad absoluta—. Las manchas del puerto. [70]

La miré con odio, pero ella mantuvo serenamente mi mirada y, por un décimo de segundo, sus ojos se hicieron blandos y parecieron decirme: "Compadéceme de todo esto." ¡Querida, querida María! ¡Cómo sufrí por ese instante de ruego y de humillación! La miré con ternura y le respondí: [75]

—Claro que las traje. Las tengo en el dormitorio.

—Tengo mucha ansiedad por verlas —dijo, nuevamente con la frialdad de antes.

—Podemos verlas ahora mismo —comenté, adivinando su idea. Temblé ante la posibilidad de que se nos uniera Mimí.[156] Pero [80] María la conocía más que yo, de modo que añadió en seguida algunas palabras que impedían cualquier intento de entrometimiento:

—Volvemos pronto —dijo.

Y apenas pronunciadas, me tomó del brazo con decisión y me condujo hacia la casa. Observé fugazmente a los que quedaban y me [85] pareció advertir un relámpago intencionado[157] en los ojos con que Mimí miró a Hunter.

---

[156] **de que . . . Mimí** that Mimí might join us.
[157] **un relámpago intencionado** a knowing look.

XXVII

Pensaba quedarme varios días en la estancia, pero sólo pasé una noche. Al día siguiente de mi llegada, apenas salió el sol, escapé a pie, con la valija y la caja. Esta actitud puede parecer una locura, pero se verá hasta qué punto estuvo justificada.

Apenas nos separamos de Hunter y Mimí, fuimos adentro, subimos a buscar las presuntas manchas y finalmente bajamos con mi caja de pintura y una carpeta de dibujos, destinada a simular las manchas. Este truco fue ideado por María.

Los primos habían desaparecido, de todos modos. María comenzó entonces a sentirse de excelente humor, y cuando caminamos a través del parque, hacia la costa, tenía verdadero entusiasmo. Era una mujer diferente de la que yo había conocido hasta ese momento, en la tristeza de la ciudad: más activa, más vital. Me pareció también, que aparecía en ella una sensualidad desconocida para mí, una sensualidad de los colores y olores: se entusiasmaba extrañamente (extrañamente para mí, que tengo una sensualidad introspectiva, casi de pura imaginación) con el color de un tronco, de una hoja seca, de un bichito cualquiera, con la fragancia del eucalipto mezclada al olor del mar. Y lejos de producirme alegría, me entristecía y desesperanzaba, porque intuía que esa forma de María me era casi totalmente ajena y que, en cambio, de algún modo debía de pertenecer a Hunter o a algún otro.

La tristeza fue aumentando gradualmente; quizá también a causa del rumor de las olas, que se hacía a cada instante más perceptible. Cuando salimos del monte y apareció ante mis ojos el cielo de aquella costa, sentí que esa tristeza era ineludible; era la misma de siempre ante la belleza, o por lo menos ante cierto género de belleza. ¿Todos sienten así o es un defecto más de mi desgraciada condición?

Nos sentamos sobre las rocas y durante mucho tiempo estuvimos en silencio, oyendo el furioso batir de las olas abajo, sintiendo en nuestros rostros las partículas de espuma que a veces alcanzaban hasta lo alto del acantilado. El cielo, tormentoso, me hizo recordar el del Tintoreto en el salvamento del sarraceno.

—Cuántas veces —dijo María— soñé compartir contigo este mar y este cielo.

Después de un tiempo, agregó:

—A veces me parece como si esta escena la hubiéramos vivido siempre juntos. Cuando vi aquella mujer solitaria de tu ventana, sentí que eras como yo y que también buscabas ciegamente a alguien, una especie de interlocutor mudo. Desde aquel día pensé constan- [40] temente en tí, te soñé muchas veces acá, en este mismo lugar donde he pasado tantas horas de mi vida. Un día hasta pensé en buscarte y en confesártelo. Pero tuve miedo de equivocarme, como me había equivocado una vez, y esperé que de algún modo fueras tú el que buscara. Pero yo te ayudaba intensamente, te llamaba cada noche, [45] y llegué a estar tan segura de encontrarte que cuando sucedió, al pie de aquel absurdo ascensor, quedé paralizada de miedo y no pude decir más que una torpeza. Y cuando huiste, dolorido por lo que creías una equivocación, yo corrí detrás como una loca. Después vinieron aquellos instantes de la plaza San Martín, en que creías [50] necesario explicarme cosas, mientras yo trataba de desorientarte, vacilando entre la ansiedad de perderte para siempre y el temor de hacerte mal. Trataba de desanimarte, sin embargo, de hacerte pensar que no entendía tus medias palabras, tu mensaje cifrado.

Yo no decía nada. Hermosos sentimientos y sombrías ideas daban [55] vueltas en mi cabeza,[158] mientras oía su voz, su maravillosa voz. Fui cayendo en una especie de encantamiento. La caída del sol iba encendiendo una fundición gigantesca entre las nubes del poniente. Sentí que ese momento mágico no se volvería a repetir *nunca*. "Nunca más, nunca más", pensé, mientras empecé a experimentar [60] el vértigo del acantilado y a pensar qué fácil sería arrastrarla al abismo, conmigo.

Oí fragmentos: "Dios mío. . . muchas cosas en esta eternidad que estamos juntos. . . cosas horribles. . . no sólo somos este paisaje, sino pequeños seres de carne y huesos, llenos de fealdad, de insignifi- [65] cancia. . ."

El mar se había ido transformando en un oscuro monstruo. Pronto, la oscuridad fue total y el rumor de las olas allá abajo adquirió sombría atracción: ¡Pensar que era tan fácil! Ella decía que éramos seres llenos de fealdad e insignificancia; pero, aunque yo sabía hasta [70] qué punto era yo mismo capaz de cosas innobles, me desolaba el pensamiento de que también ella podía serlo, que *seguramente* lo era. ¿Cómo? —pensaba— ¿con quiénes, cuándo? Y un sordo deseo de precipitarme sobre ella y destrozarla con las uñas y de apretar su

---

[158] **daban . . . cabeza**   whirled around in my mind.

cuello hasta ahogarla y arrojarla al mar iba creciendo en mí. De ⁷⁵
pronto oí otros fragmentos de frases: hablaba de un primo, Juan o
algo así; habló de la infancia en el campo; me pareció oír algo de
hechos "tormentosos y crueles", que habían pasado con ese otro
primo. Me pareció que María me había estado haciendo una preciosa
confesión y que yo, como un estúpido, la había perdido. ⁸⁰

—¡Qué hechos tormentosos y crueles! —grité.

Pero, extrañamente, no pareció oírme: también ella había caído en
una especie de sopor, también ella parecía estar sola.

Pasó un largo tiempo, quizá media hora.

Después sentí que acariciaba mi cara, como lo había hecho en ⁸⁵
otros momentos parecidos. Yo no podía hablar. Como con mi madre
cuando chico, puse la cabeza sobre su regazo y así quedamos un
tiempo quieto, sin transcurso, hecho de infancia y de muerte:

¡Qué lástima que debajo hubiera hechos inexplicables y sospechosos! ¡Cómo deseaba equivocarme, cómo ansiaba que María no ⁹⁰
fuera más que ese momento! Pero era imposible: mientras oía los
latidos de su corazón junto a mis oídos y mientras su mano acariciaba
mis cabellos, sombríos pensamientos se movían en la oscuridad de
mi cabeza, como en un sótano pantanoso; esperaban el momento de
salir, chapoteando, gruñendo sordamente en el barro. ⁹⁵

XXVIII

Pasaron cosas muy raras. Cuando llegamos a la casa encontramos
a Hunter muy agitado (aunque es de esos que creen de mal gusto
mostrar las pasiones); trataba de disimularlo, pero era evidente que
algo pasaba. Mimí se había ido y en el comedor todo estaba dispuesto
para la comida, aunque era claro que nos habíamos retardado mu- ⁵
cho,¹⁵⁹ pues apenas llegamos se notó un acelerado y eficaz movimiento de servicio.¹⁶⁰ Durante la comida casi no se habló.¹⁶¹ Vigilé
las palabras y los gestos de Hunter porque intuí que echarían luz
sobre muchas cosas que se me estaban ocurriendo y sobre otras ideas
que estaban por reforzarse.¹⁶² También vigilé la cara de María; era ¹⁰

¹⁵⁹ **que . . . mucho** that we were quite late.
¹⁶⁰ **un acelerado . . . servicio** an intensification of the servants' activity.
¹⁶¹ **casi no se habló** almost nothing was said.
¹⁶² **que estaban por reforzarse** that needed to be confirmed.

impenetrable. Para disminuir la tensión. María dijo que estaba leyendo una novela de Sartre. De evidente mal humor, Hunter comentó:

—Novelas en esta época. Que las escriban, vaya y pase[163]. . . ¡pero que las lean!

Nos quedamos en silencio y Hunter no hizo ningún esfuerzo por atenuar los efectos de esa frase. Concluí que tenía algo contra María. Pero como antes que saliéramos para la costa no había nada de particular, inferí que ese *algo* contra María había nacido durante nuestra larga conversación; era muy difícil admitir que no fuera *a causa* de esa conversación o, mejor dicho, a causa del largo tiempo que habíamos permanecido allá. Mi conclusión fue: Hunter está celoso y eso prueba que entre él y ella hay algo más que una simple relación de amistad y de parentesco. Desde luego, no era necesario que María sintiese amor por él; por el contrario: era más fácil que Hunter se irritase al ver que María daba importancia a otras personas. Fuera como fuese, si la irritación de Hunter era originada por celos, tendría que mostrar hostilidad hacia mí, ya que ninguna otra cosa había entre nosotros. Así fue. Si no hubieran existido otros detalles, me habría bastado con una mirada de soslayo que me echó Hunter a propósito de una frase de María sobre el acantilado.

Pretexté cansancio y me fui a mi pieza apenas nos levantamos de la mesa. Mi propósito era lograr el mayor número de elementos de juicio sobre el problema. Subí la escalera, abrí la puerta de mi habitación, encendí la luz, golpeé la puerta, como quien la cierra, y me quedé en el vano escuchando. En seguida oí la voz de Hunter que decía una frase agitada, aunque no podía discernir las palabras; no hubo respuesta de María; Hunter dijo otra frase, mucho más larga y más agitada que la anterior; María dijo algunas palabras en voz muy baja, superpuestas con las últimas de él, seguidas de un ruido de sillas; al instante oí los pasos de alguien que subía por la escalera: me encerré rápidamente, pero me quedé escuchando a través del agujero de la llave; a los pocos momentos oí pasos que cruzaban frente a mi puerta: eran pasos de mujer. Quedé largo tiempo despierto, pensando en lo que había sucedido y tratando de oír cualquier clase de rumor. Pero no oí nada en toda la noche.

No pude dormir: empezaron a atormentarme una serie de reflexiones que no se me habían ocurrido antes. Pronto advertí que mi

163 **Que . . . pase** Let them write them, all well and good.

primera conclusión era una ingenuidad: había pensado (lo que es correcto) que no era necesario que María sintiese amor por Hunter 50 para que él tuviera celos; esta conclusión me había tranquilizado. Ahora me daba cuenta de que si bien no era necesario *tampoco era un inconveniente*.

María podía querer a Hunter y sin embargo éste sentir celos.

Ahora bien: ¿había motivos para pensar que María tenía algo con 55 su primo? ¡Ya lo creo que había motivos![164] En primer lugar, si Hunter la molestaba con celos y ella no lo quería, ¿por qué venía a cada rato a la estancia? En la estancia no vivía, ordinariamente, nadie más que Hunter, que era solo (yo no sabía si era soltero, viudo o divorciado, aunque creo que alguna vez María me había dicho que 60 estaba separado de su mujer; pero, en fin, lo importante era que ese señor vivía solo en la estancia). En segundo lugar, un motivo para sospechar de esas relaciones era que María nunca me había hablado de Hunter sino con indiferencia, es decir con la indiferencia con que se habla de un miembro cualquiera de la familia; pero jamás me 65 había mencionado o insinuado siquiera que Hunter estuviera enamorado de ella y menos que tuviera celos. En tercer lugar, María me había hablado, esa tarde, de sus debilidades. ¿Qué había querido decir? Yo le había relatado en mi carta una serie de cosas despreciables (lo de mis borracheras y lo de las prostitutas) y ella ahora 70 me decía que me comprendía, que también ella no era solamente barcos que parten y parques en el crepúsculo. ¿Qué podía querer decir sino que en su vida había cosas tan oscuras y despreciables como en la mía? ¿No podía ser lo de Hunter una pasión baja de ese género? 75

Rumié esas conclusiones y las examiné a lo largo de la noche[165] desde diferentes puntos de vista. Mi conclusión final, que consideré rigurosa, fue: *María es amante de Hunter*.

Apenas aclaró, bajé las escaleras con mi valija y mi caja de pinturas. Encontré a uno de los mucamos que había comenzado a abrir 80 las puertas y ventanas para hacer la limpieza: le encargué que saludara de mi parte al señor y que le dijera que me había visto obligado a salir urgentemente para Buenos Aires. El mucamo me

---

[164] **¿había . . . motivos!** were there reasons to think that something was going on between María and her cousin? I should say there were reasons!
[165] **a lo . . . noche** throughout the night.

miró con ojos de asombro, sobre todo cuando le dije, respondiendo a
su advertencia, que me iría a pie hasta la estación.   85

Tuve que esperar varias horas en la pequeña estación. Por momentos pensé que aparecería María; esperaba esa posibilidad con la
amarga satisfacción que se siente cuando, de chico, uno se ha encerrado en alguna parte porque cree que han cometido una injusticia
y espera la llegada de una persona mayor que venga a buscarlo y a   90
reconocer la equivocación. *Pero María no vino.* Cuando llegó el tren
y miré hacia el camino por última vez, con la esperanza de que
apareciera a último momento, y no la vi llegar, sentí una infinita
tristeza.

Miraba por la ventanilla, mientras el tren corría hacia Buenos   95
Aires. Pasamos cerca de un rancho; una mujer, debajo del alero,
miró el tren. Se me ocurrió un pensamiento estúpido: "A esta mujer
la veo por primera y última vez. No la volveré a ver en mi vida".
Mi pensamiento flotaba como un corcho en un río desconocido.
Siguió por un momento flotando cerca de esa mujer bajo el alero.   100
¿Qué me importaba esa mujer? Pero no podía dejar de pensar que
había existido un instante para mí y que nunca más volvería a existir;
desde mi punto de vista era como si ya se hubiera muerto: un pequeño retraso del tren, un llamado desde el interior del rancho, y
esa mujer no habría existido nunca en mi vida.   5

Todo me parecía fugaz, transitorio, inútil, impreciso. Mi cabeza no
funcionaba bien y María se me aparecía una y otra vez como algo
incierto y melancólico. Sólo horas más tarde, mis pensamientos em-
pezarían a alcanzar la precisión y la violencia de otras veces.

XXIX

Los días que precedieron a la muerte de María fueron los más
atroces de mi vida. Me es imposible hacer un relato preciso de[166]
todo lo que sentí, pensé y ejecuté, pues si bien recuerdo con increíble minuciosidad muchos de los acontecimientos, hay horas y
hasta días enteros que se me aparecen como sueños borrosos y de-   5
formes. Tengo la impresión de haber pasado días enteros bajo el
efecto del alcohol, echado en mi cama o en un banco de Puerto

---

[166] **hacer . . . de**   to tell precisely.

Nuevo. Al llegar a la estación Constitución me recuerdo muy bien entrando al bar y pidiendo varios whiskies seguidos[167]; después recuerdo vagamente que me levanté, que tomé un taxi y que me fui a un bar de la calle 25 de Mayo o quizá de Leandro Alem. Siguen algunos ruidos, música, unos gritos, una risa que me crispaba, unas botellas rotas, luces muy penetrantes. Después me recuerdo pesado[168] y con un terrible dolor de cabeza en un calabozo de comisaría, un vigilante que abría la puerta, un oficial que me decía algo y después me veo caminando nuevamente por las calles y rascándome mucho. Creo que entré nuevamente a un bar. Horas (o días) más tarde alguien me dejaba en mi taller. Luego tuve unas pesadillas en las que caminaba por los techos de una catedral. Recuerdo también un despertar en mi pieza, en la oscuridad y la horrorosa idea de que la pieza se había hecho infinitamente grande y que por más que corriera[169] no podría alcanzar jamás sus límites. No sé cuánto tiempo pudo haber pasado hasta que las primeras luces del alba entraron por el ventanal. Entonces me arrastré hasta el baño y me metí, vestido, en la bañadera. El agua fría empezó a calmarme y en mi cabeza comenzaron a aparecer algunos hechos aislados, aunque destrozados e inconexos, como los primeros objetos que se ven emerger después de una gran inundación: María en el acantilado, Mimí empuñando su boquilla, la estación *Allende,* un almacén frente a la estación que se llamaba *La confianza* o quizá *La estancia,* María preguntándome por las manchas, yo gritando: "¡Qué manchas!" Hunter mirándome torvamente, yo escuchando arriba, con ansiedad, el diálogo entre los primos, un marinero arrojando una botella, María avanzando hacia mí con ojos impenetrables, Mimí diciendo Tchékhov, una mujer inmunda besándome y yo pegándole un tremendo puñetazo, pulgas que me picaban en todo el cuerpo, Hunter hablando de novelas policiales, el chófer de la estancia. También aparecieron trozos de sueños: nuevamente la catedral en una noche negra, la pieza infinita.

Luego, a medida que me enfriaba, aquellos trozos se fueron uniendo a otros[170] que iban emergiendo de mi conciencia y el paisaje fue

---

[167] **varios whiskies seguidos** one whiskey after another.
[168] **me recuerdo pesado** I remember being very drowsy.
[169] **y que ... corriera** and no matter how fast I ran.
[170] **a medida ... otros** as I cooled off, those pieces began to join others.

reconstituyéndose, aunque con la tristeza y la desolación que tienen los paisajes que surgen de las aguas.

Salí del baño, me desnudé, me puse ropa seca y comencé a escribir una carta a María. Primero escribí que deseaba darle una explica- 45 ción por mi fuga de la estancia (taché "fuga" y puse "ida"). Agregué que apreciaba mucho el interés que ella se había tomado por mí (taché "por mí" y puse "por mi persona"). Que comprendía que ella era muy bondadosa y estaba llena de sentimientos puros, a pesar de que, como ella misma me lo había hecho saber, a veces 50 prevalecían "bajas pasiones". Le dije que apreciaba en su justo valor el asunto de la salida de un barco o el asistir sin hablar a un crepúsculo en un parque pero que, como ella podía imaginar (taché "imaginar" y puse "calcular"), no era suficiente para mantener o probar un amor: seguía sin comprender cómo era posible que una 55 mujer como ella fuera capaz de decir palabras de amor a su marido y a mí, al mismo tiempo que se acostaba con Hunter (taché "Hunter" y puse "el señor Hunter"; la combinación de la palabra "acostarse" con un repentino respeto formal por ese individuo me pareció muy eficaz). Con el agravante —agregué— de que también se acostaba 60 con el marido y conmigo: Terminaba diciendo que, como ella podría darse cuenta, esa clase de actitudes daba mucho que pensar, etc.

Releí la carta y me pareció que, con los cambios anotados, quedaba suficientemente hiriente. La cerré, fui al Correo Central y la despaché certificada. 65

XXX

Apenas salí del correo advertí dos cosas: no había dicho en la carta por qué había inferido que ella era amante de Hunter; y no sabía qué me proponía al herirla tan despiadadamente; ¿acaso hacerla cambiar de manera de ser, en caso de ser ciertas mis conjeturas? Eso era evidentemente ridículo. ¿Hacerla correr hacia mí? 5 No era creíble que lo lograra con esos procedimientos. Reflexioné, sin embargo, que en el fondo de mi alma sólo ansiaba que María volviese a mí. Pero, en este caso, ¿por qué no decírselo directamente, sin herirla, explicándole que me había ido de la estancia porque de pronto había advertido los celos de Hunter? Al fin de cuentas, mi 10 conclusión de que ella era amante de Hunter, además de hiriente, era completamente gratuita; en todo caso era una hipótesis, que yo me podía formular con el único propósito de orientar mis investigaciones futuras.

Una vez más, pues, había cometido una tontería, con mi costumbre de escribir cartas muy espontáneas y enviarlas en seguida. *Las cartas de importancia hay que retenerlas por lo menos un día, hasta que se vean claramente todas las posibles consecuencias.*

Quedaba un recurso desesperado, ¡el recibo! Lo busqué en todos los bolsillos, pero no lo encontré: lo habría arrojado estúpidamente, por ahí. Volví corriendo al correo, sin embargo, y me puse en la fila de las certificadas. Cuando llegó mi turno, pregunté a la empleada, mientras hacía un horrible e hipócrita esfuerzo por sonreír:

—¿No me reconoce?

La mujer me miró con asombro: seguramente pensó que era loco. Para sacarla de su error, le dije que era la persona que acababa de enviar una carta a la estancia *Los Ombúes.* El asombro de aquella estúpida pareció aumentar y, tal vez con el deseo de compartirlo o de pedir consejo ante algo que no alcanzaba a comprender, volvió su rostro hacia un compañero; me miró nuevamente a mí.

—Perdí el recibo —expliqué.

No obtuve respuesta.

—Quiero decir que necesito la carta y no tengo el recibo —agregué.

La mujer y el otro empleado se miraron, durante un instante, como dos compañeros de baraja.[171] Por fin, con el acento de alguien que está profundamente maravillado, me preguntó:

—¿Usted quiere que le devuelvan la carta?

—Así es.

—¿Y ni siquiera tiene el recibo?

Tuve que admitir que, en efecto, no tenía ese importante documento. El asombro de la mujer había aumentado hasta el límite. Balbuceó algo que no entendí y volvió a mirar a su compañero.

—Quiere que le devuelvan una carta —tartamudeó.

El otro sonrió con infinita estupidez, pero con el propósito de querer mostrar viveza. La mujer me miró y me dijo:

—Es completamente imposible.

---

[171] **como ... baraja** like two partners at cards.

—Le puedo mostrar documentos —repliqué, sacando unos papeles.

—No hay nada que hacer. El reglamento es terminante.{50}

—El reglamento, como usted comprenderá, debe estar de acuerdo con la lógica —exclamé con violencia, mientras comenzaba a irritarme un lunar con pelos largos que esa mujer tenía en la mejilla.

—¿Usted conoce el reglamento? —me preguntó con sorna.

—No hay necesidad de conocerlo, señora —respondí fríamente,{55} sabiendo que la palabra *señora* debía herirla mortalmente.

Los ojos de la harpía brillaban ahora de indignación.

—Usted comprende, señora, que el reglamento no puede ser ilógico: tiene que haber sido redactado por una persona normal, no por un loco. Si yo despacho una carta y al instante vuelvo a pedir{60} que me la devuelvan porque me he olvidado de algo esencial, lo lógico es que se atienda mi pedido. ¿O es que el correo tiene empeño en hacer llegar cartas incompletas o equívocas? Es perfectamente claro y razonable que el correo es un medio de comunicación, no un medio de compulsión: el correo no puede *obligar* a mandar{65} una carta si yo no quiero.

—Pero usted lo quiso —respondió.

—¡Sí —grité—, ¡pero le vuelvo a repetir que *ahora no lo quiero!*

—No me grite, no sea mal educado. Ahora es tarde.

—No es tarde porque la carta está allí —dije, señalando hacia el{70} cesto de las cartas despachadas.

La gente comenzaba a protestar ruidosamente. La cara de la solterona temblaba de rabia. Con verdadera repugnancia, sentí que todo mi odio se concentraba en el lunar.

—Yo le puedo probar que soy la persona que ha mandado la{75} carta —repetí, mostrándole unos papeles personales.

—No grite, no soy sorda —volvió a decir—. Yo no puedo tomar semejante decisión.

—Consulte al jefe, entonces.

—No puedo. Hay demasiada gente esperando —dijo.— Acá{80} tenemos mucho trabajo, ¿comprende?

—Este asunto forma parte del trabajo —expliqué.

Algunos de los que estaban esperando propusieron que me devolvieran la carta de una vez y se siguiera adelante. La mujer vaciló un rato, mientras simulaba trabajar en otra cosa; finalmente fue{85} adentro y al cabo de un largo rato volvió con un humor de perro. Buscó en el cesto.

—¿Qué estancia? —preguntó con una especie de silbido de víbora.

—Estancia *Los Ombúes* —respondí con venenosa calma.   90

Después de una búsqueda falsamente alargada, tomó la carta en sus manos y comenzó a examinarla como si la ofrecieran en venta y dudase de las ventajas de la compra.

—Sólo tiene iniciales y dirección —dijo al fin.

—¿Y eso?   95

—¿Qué documentos tiene para probarme que es la persona que mandó la carta?

—Tengo el borrador —dije, mostrándolo.

Lo tomó, lo miró y me lo devolvió.

—¿Y cómo sabemos que es el borrador de la carta?   100

—Es muy simple: abramos el sobre y lo podemos verificar.

La mujer dudó un instante, miró el sobre cerrado y luego me dijo:

—¿Y cómo vamos a abrir esta carta si no sabemos que es suya? Yo no puedo hacer eso.   5

La gente comenzó a protestar de nuevo. Yo tenía ganas de hacer alguna barbaridad.

—Ese documento no sirve —concluyó la harpía.

—¿Le parece que la cédula de identidad será suficiente? —pregunté con irónica cortesía.   10

—¿La cédula de identidad?

Reflexionó, miró nuevamente el sobre y luego dictaminó:

—No, la cédula sola no, porque acá sólo están las iniciales. Tendrá que mostrarme también un certificado de domicilio. O si no la libreta de enrolamiento, porque en la libreta figura el domicilio.   15

Reflexionó un instante más y agregó:

—Aunque es difícil que usted no haya cambiado de casa desde los dieciocho años. Así que casi seguramente va a necesitar también certificado de domicilio.

Una furia incontenible estalló por fin en mí y sentí que alcanzaba   20 también a María y, lo que es más curioso, a Mimí.

—¡Mándela usted así y váyase al infierno! —le grité, mientras me iba.

Salí del correo con un ánimo de mil diablos[172] y hasta pensé si, volviendo a la ventanilla, podría incendiar de alguna manera el cesto 25 de las cartas. ¿Pero cómo? ¿Arrojando un fósforo? Era fácil que se apagara en el camino. Echando previamente un chorrito de nafta, el efecto sería seguro; pero eso complicaba las cosas. De todos modos, pensé esperar la salida del personal de turno e insultar a la solterona.

XXXI

Después de una hora de espera, decidí irme. ¿Qué podía ganar, en definitiva, insultando a esa imbécil? Por otra parte, durante ese lapso rumié una serie de reflexiones que terminaron por tranquilizarme: la carta estaba muy bien y era bueno que llegase a manos de María. (Muchas veces me ha pasado eso: luchar insensatamente contra un 5 obstáculo que me impide hacer algo que juzgo necesario o conveniente, aceptar con rabia la derrota y finalmente, un tiempo después, comprobar que el destino tenía razón.) En realidad, cuando me puse a escribir la carta, lo hice sin reflexionar mayormente y hasta algunas de las hirientes frases parecían inmerecidas. Pero en ese 10 momento, al volver a pensar en todo lo que antecedió a la carta, recordé de pronto un sueño que tuve en alguna de esas noches de borrachera: espiando desde un escondite me veía a mí mismo, sentado en una silla en el medio de una habitación sombría, sin muebles ni decorados, y, detrás de mí, a dos personas que se miraban con ex- 15 presiones de diabólica ironía: una era María; la otra era Hunter.

Cuando recordé este sueño, una desconsoladora tristeza se apoderó de mí. Abandoné la puerta del correo y comencé a caminar pesadamente.

Un tiempo después me encontré sentado en la Recoleta, en un 20 banco que hay debajo de un árbol gigantesco. Los lugares, los árboles, los senderos de nuestros mejores momentos empezaron a transformar mis ideas. ¿Qué era, al fin de cuentas, lo que yo tenía *en concreto* contra María? Los mejores instantes de nuestro amor (un rostro de ella, una mirada tierna, el roce de su mano en mis cabellos) 25 comenzaron a apoderarse suavemente de mi alma,[173] con el mismo

---

[172] **con ... diablos**   mad as blazes.
[173] **comenzaron ... alma**   gently began to take possession of my heart.

cuidado con que se recoge a un ser querido que ha tenido un accidente y que no puede sufrir la brusquedad más insignificante. Poco a poco fui incorporándome, la tristeza fue cambiándose en ansiedad, el odio contra María en odio contra mí mismo y mi aletargamiento en una repentina necesidad de correr a mi casa. A medida que iba llegando al taller fui dándome cuenta de lo que quería: hablar, llamarla por teléfono a la estancia, en seguida, sin pérdida de tiempo. ¿Cómo no había pensado antes en esa posibilidad? 30

Cuando me dieron la comunicación, casi no tenía fuerzas para hablar. Atendió un mucamo. Le dije que necesitaba comunicarme sin pérdida de tiempo con la señora María. Al rato me atendió la misma voz, para decirme que la señora me llamaría dentro de una hora, más o menos. 35

La espera me pareció interminable. 40

No recuerdo bien las palabras de aquella conversación por teléfono, pero sí recuerdo que en vez de pedirle perdón por la carta (la causa que me había movido a hablar), concluí por decirle cosas más fuertes que las contenidas en la carta. Claro que eso no sucedió irrazonablemente; la verdad es que yo comencé hablándole con humildad y ternura, pero empezó a exasperarme el tono dolorido de su voz y el hecho de que no respondiese a ninguna de mis preguntas precisas, según su hábito. El diálogo, más bien mi monólogo, fue creciendo en violencia y cuanto más violento era, más dolorida parecía ella y más eso me exasperaba, porque yo tenía plena conciencia de mi razón y de la injusticia de su dolor. Terminé diciéndole a gritos que me mataría, que era una comediante y que necesitaba verla en seguida, en Buenos Aires. 45 50

No contestó a ninguna de mis preguntas precisas, pero finalmente, ante mi insistencia y mis amenazas de matarme, me prometió venir a Buenos Aires al día siguiente, "aunque no sabía para qué". 55

—Lo único que lograremos —agregó con voz muy débil— es lastimarnos cruelmente, una vez más.

—Si no vienes, me mataré —repetí por fin—. Piénsalo bien antes de tomar cualquier decisión. 60

Colgué el tubo sin agregar nada más, y la verdad es que en ese momento estaba decidido a matarme si ella no venía a aclarar la situación. Quedé extrañamente satisfecho al decidirlo. "Ya verá", pensé, como si se tratara de una venganza.[174]

[174] **como . . . venganza** as if it were a matter of getting revenge.

XXXII

Ese día fue execrable.

Salí de mi taller furiosamente. A pesar de que la vería al día siguiente, estaba desconsolado y sentía un odio sordo e impreciso. Ahora creo que era contra mí mismo, porque en el fondo sabía que mis crueles insultos no tenían fundamento. Pero me daba rabia que ⁵ ella no se defendiera, y su voz dolorida y humilde, lejos de aplacarme, me enardecía más.

Me desprecié. Esa tarde comencé a beber mucho y terminé buscando líos en un bar de Leandro Alem. Me apoderé de la mujer que me pareció más depravada y luego desafié a pelear a un marinero ¹⁰ porque le hizo un chiste obsceno. No recuerdo lo que pasó después, excepto que comenzamos a pelear y que la gente nos separó en medio de una gran alegría. Después me recuerdo con la mujer esa en la calle. El fresco me hizo bien. A la madrugada la llevé al taller. Cuando llegamos se puso a reír de un cuadro que estaba sobre un ¹⁵ caballete. (No sé si dije que, desde la escena de la ventana, mi pintura se fue transformando paulatinamente: era como si los seres y cosas de mi antigua pintura hubieran sufrido un cataclismo cósmico. Ya hablaré de esto más adelante, porque ahora quiero relatar lo que sucedió en aquellos días decisivos.) La mujer miró, riéndose, el ²⁰ cuadro y después me miró a mí, como en demanda de una explicación. Como ustedes supondrán, me importaba un bledo el juicio que aquella desgraciada podría formarse de mi arte. Le dije que no perdiéramos tiempo en pavadas.

Estábamos en la cama, cuando de pronto cruzó por mi cabeza una ²⁵ idea tremenda: la expresión de la rumana se parecía a una expresión que alguna vez había observado en María.

—¡Puta! —grité enloquecido, apartándome con asco—. ¡Claro que es una puta!

La rumana se incorporó como una víbora y me mordió el brazo ³⁰ hasta hacerlo sangrar. Pensaba que me refería a ella. Lleno de desprecio a la humanidad entera y de odio, la saqué a puntapiés¹⁷⁵ de mi taller y le dije que la mataría como a un perro si no se iba en seguida. Se fue gritando insultos a pesar de la cantidad de dinero que le arrojé detrás. ³⁵

---

¹⁷⁵ **la saqué a puntapiés**   I kicked her out.

Por largo tiempo quedé estupefacto en el medio del taller, sin saber qué hacer y sin atinar a ordenar mis sentimientos ni mis ideas. Por fin tomé una decisión: fui al baño, llené la bañadera de agua fría, me desnudé y entré. Quería aclarar mis ideas, así que me quedé en la bañadera hasta refrescarme bien. Poco a poco logré poner el 40 cerebro en pleno funcionamiento. Traté de pensar con absoluto rigor, porque tenía la intuición de haber llegado a un punto decisivo. ¿Cuál era la idea inicial? Varias palabras acudieron a esta pregunta que yo mismo me hacía. Esas palabras fueron: rumana, María, prostituta, placer, simulación. Pensé: estas palabras deben de representar el 45 hecho esencial, la verdad profunda de la que debo partir. Hice repetidos esfuerzos para colocarlas en el orden debido, hasta que logré formular la idea en esta forma terrible, pero indudable: *María y la prostituta han tenido una expresión semejante; la prostituta simulaba placer; María, pues, simulaba placer; María es una prostituta.* 50

—¡Puta, puta, puta! —grité saltando de la bañadera.

Mi cerebro funcionaba ya con la lúcida ferocidad de los mejores días: vi nítidamente que era preciso terminar y que no debía dejarme embaucar una vez más por su voz dolorida y su espíritu de comediante. Tenía que dejarme guiar únicamente por la lógica y debía 55 llevar, sin temor, hasta las últimas consecuencias, las frases sospechosas, los gestos, los silencios equívocos de María.

Fue como si las imágenes de una pesadilla desfilaran vertiginosamente bajo la luz de un foco monstruoso. Mientras me vestía con rapidez, pasaron ante mí todos los momentos sospechosos: la primera 60 conversación por teléfono, con la asombrosa capacidad de simulación y el largo aprendizaje que revelaban sus cambios de voz; las oscuras sombras en torno de María que se delataban a través de tantas frases enigmáticas; y ese temor de ella de "hacerme mal", que sólo podía significar "te haré mal con mis mentiras, con mis inconsecuencias, 65 con mis hechos ocultos, con la simulación de mis sentimientos y sensaciones", ya que no podría hacerme mal por amarme de verdad; y la dolorosa escena de los fósforos; y cómo al comienzo había rehuido hasta mis besos y cómo sólo había cedido al amor físico cuando la había puesto ante el extremo de confesar su aversión o, en 70 el mejor de los casos,[176] el sentido maternal o fraternal de su cariño; lo que, desde luego, me impedía creer en sus arrebatos de placer, en

---

[176] **cuando ... casos** when I had forced her to the point where she would have to admit her aversion or, in any case.

sus palabras y en sus rostros de éxtasis; y además su precisa experiencia sexual, que difícilmente podía haber adquirido con un filósofo estóico como Allende; y las respuestas sobre el amor a su marido, 75 que sólo permitían inferir una vez más su capacidad para engañar con sentimientos y sensaciones apócrifos; y el círculo de familia, formado por una colección de hipócritas y mentirosos; y el aplomo y la eficacia con que había engañado a sus dos primos con las inexistentes manchas del puerto; y la escena durante la comida, en la 80 estancia, la discusión allá abajo, los celos de Hunter; y aquella frase que se le había escapado en el acantilado: "como me había equivocado una vez"; ¿con quién, cuándo, cómo?; y "los hechos tormentosos y crueles" con ese otro primo, palabras que también se escaparon inconscientemente de sus labios, como lo reveló al no contestar mi 85 pedido de aclaración, porque no me oía, simplemente no me oía, vuelta como estaba hacia su infancia, en la quizá única confesión auténtica que había tenido en mi presencia; y finalmente, esta horrenda escena con la rumana, o rusa, o lo que fuera.[177] ¡Y esa sucia bestia que se había reído de mis cuadros y la frágil criatura que me 90 había alentado a pintarlos tenían la misma expresión en algún momento de sus vidas! ¡Dios mío, si era para desconsolarse por la naturaleza humana,[178] al pensar que entre ciertos instantes de Schumann o Brahms y un prostíbulo hay ocultos y tenebrosos pasajes subterráneos! 95

XXXIII

Muchas de las conclusiones que extraje en aquel lúcido pero fantasmagórico examen eran hipotéticas, no las podía demostrar, aunque tenía la certeza de no equivocarme. Pero advertí, de pronto, que había desperdiciado, hasta ese momento, una importante posibilidad de investigación: la opinión de otras personas. Con satis- 5 facción feroz y con claridad nunca tan intensa, pensé por primera vez en ese procedimiento y en la persona indicada: Lartigue. Era amigo de Hunter, amigo íntimo. Es cierto que era otro individuo despreciable: había escrito un libro de poemas acerca de la vanidad de todas las cosas humanas, pero se quejaba de que no le hubieran dado 10

---

[177] **o lo que fuera** or whatever she was.
[178] **si . . . humana** it was enough to discourage one about human nature.

el premio nacional. No iba a detenerme en escrúpulos. Con viva repugnancia, pero con decisión, lo llamé por teléfono, le dije que tenía que verlo urgentemente, lo fui a ver a su casa, le elogié el libro de versos y (con gran disgusto suyo,[179] que quería que siguiésemos hablando de él), le hice a boca de jarro una pregunta ya preparada[180]: 15

—¿Cuánto hace que María Iribarne es amante de Hunter?

Mi madre no preguntaba nunca *si* habíamos comido una manzana, porque habríamos negado; preguntaba *cuántas,* dando astutamente por averiguado lo que quería averiguar[181]: si habíamos comido o no la fruta; y nosotros, arrastrados sutilmente por ese acento cuanti- 20 tativo respondíamos que *sólo* habíamos comido una manzana.

Lartigue es vanidoso pero no es zonzo: sospechó que había algo misterioso en mi pregunta y creyó evadirla contestando:

—De eso no sé nada.

Y volvió a hablar del libro y del premio. Con verdadero asco, le 25 grité:

—¡Qué gran injusticia han cometido con su libro!

Me fui corriendo. Lartigue no era zonzo, pero no advirtió que sus palabras eran suficientes.

Eran las tres de la tarde. Ya debía estar María en Buenos Aires. 30 Llamé por teléfono desde un café: no tenía paciencia para ir hasta el taller. En cuanto me atendió, le dije:

—Tengo que verte en seguida.

Traté de disimular mi odio porque temía que sospechara algo y no viniese a la cita. Convinimos en vernos a las cinco en la Recoleta, 35 en el lugar de siempre.

—Aunque no veo qué saldremos ganando —agregó tristemente.

—Muchas cosas —respondí—, muchas cosas.

—¿Lo crees? —preguntó con acento de desesperanza.

—Desde luego. 40

—Pues yo creo que sólo lograremos hacernos un poco más de daño, destruir un poco más el débil puente que nos comunica, herir-nos con mayor crueldad. . . He venido porque lo has pedido tanto, pero debía haberme quedado en la estancia: Hunter está enfermo.

"Otra mentira", pensé. 45

---

[179] **con gran disgusto suyo** much to his displeasure.
[180] **le hice . . . preparada** I fired a prepared question at him pointblank.
[181] **dando . . . averiguar** wisely giving the impression of already knowing what she really wanted to find out.

—Gracias —contesté secamente—. Quedamos, pues, en que nos vemos a las cinco en punto.

María asintió con un suspiro.

XXXIV

Antes de las cinco estuve en la Recoleta, en el banco donde solíamos encontrarnos. Mi espíritu, ya ensombrecido, cayó en un total abatimiento al ver los árboles, los senderos y los bancos que habían sido testigos de nuestro amor. Pensé, con desesperada melancolía, en los instantes que habíamos pasado en aquellos jardines de la Recoleta y de la Plaza Francia y cómo, en aquel entonces que parecía estar a una distancia innumerable, había creído en la eternidad de nuestro amor. Todo era milagroso, alucinante, y ahora todo era sombrío y helado, en un mundo desprovisto de sentido, indiferente. Por un segundo, el espanto de destruir el resto que quedaba de nuestro amor y de quedarme definitivamente solo, me hizo vacilar. Pensé que quizá era posible echar a un lado todas las dudas que me torturaban. ¿Qué me importaba lo que fuera María más allá de nosotros?[182] Al ver esos bancos, esos árboles, pensé que jamás podría resignarme a perder su apoyo, aunque más no fuera que en esos instantes de comunicación,[183] de misterioso amor que nos unía. A medida que avanzaba en estas reflexiones, más iba haciéndome a la idea[184] de aceptar su amor así, sin condiciones y más me iba aterrorizando la idea de quedarme sin nada, absolutamente nada.[185] Y de ese terror fue naciendo y creciendo una modestia como sólo pueden tener los seres que no pueden elegir. Finalmente, empezó a poseerme una desbordante alegría, al darme cuenta de que nada se había perdido y que podía empezar, a partir de ese instante de lucidez, una nueva vida.

Desgraciadamente, María me falló una vez más. A las cinco y media, alarmado, enloquecido, volví a llamarla por teléfono. Me dijeron que se había vuelto repentinamente a la estancia. Sin advertir lo que hacía, le grité a la mucama:

---

[182] **más allá de nosotros?**　beyond our own world?

[183] **aunque ... comunicación**　even if it were only those moments of communication.

[184] **más ... idea**　I was becoming more and more resigned to the idea.

[185] **más me iba ... nada**　the idea of being left without anything, without anything at all, was becoming more and more terrifying.

—¡Pero si habíamos quedado en vernos a las cinco!

—Yo no sé nada, señor —me respondió algo asustada—. La señora salió en auto hace un rato y dijo que se quedaría allá una semana por lo menos.

¡Una semana por lo menos! El mundo parecía derrumbarse, todo me parecía increíble e inútil. Salí del café como un sonámbulo. Vi cosas absurdas: faroles, gente que andaba de un lado a otro, como si eso sirviera para algo.[186] ¡Y tanto como le había pedido verla esa tarde, tanto como la necesitaba! ¡Y tan poco que estaba dispuesto a pedirle, a mendigarle! Pero —pensé con feroz amargura— entre consolarme a mí en un parque y acostarse con Hunter en la estancia no podía haber lugar a dudas. Y en cuanto me hice esta reflexión se me ocurrió una idea. No, mejor dicho, tuve la certeza de algo. Corrí las pocas cuadras que faltaban para llegar a mi taller y desde allá llamé nuevamente por teléfono a casa de Allende. Pregunté si la señora no había recibido un llamado telefónico de la estancia, antes de ir.

—Sí —respondió la mucama, después de una pequeña vacilación.

—¿Un llamado del señor Hunter, no?

La mucama volvió a vacilar. Tomé nota de las dos vacilaciones.

—Sí —contestó finalmente.

Una amargura triunfante me poseía ahora como un demonio. ¡Tal como lo había intuido! Me dominaba a la vez un sentimiento de infinita soledad y un insensato orgullo: el orgullo de no haberme equivocado.

Pensé en Mapelli.

Iba a salir, corriendo, cuando tuve una idea. Fui a la cocina, agarré el cuchillo grande y volví al taller. ¡Qué poco quedaba de la vieja pintura de Juan Pablo Castel! ¡Ya tendrían motivos para admirarse esos imbéciles que me habían comparado a un arquitecto! ¡Como si un hombre pudiera cambiar de verdad! ¿Cuántos de esos imbéciles habían adivinado que debajo de mis arquitecturas y de "la cosa intelectual" había un volcán pronto a estallar? Ninguno. ¡Ya tendrían tiempo de sobra para ver estas columnas en pedazos, estas estatuas mutiladas, estas ruinas humeantes, estas escaleras infernales! Ahí estaban, como un museo de pesadillas petrificadas, como un Museo de la Desesperanza y de la Vergüenza. Pero había algo que quería destruir sin dejar siquiera rastros. Lo miré por última vez, sentí que

[186] **como ... algo** as if that did any good.

la garganta se me contraía dolorosamente, pero no vacilé: a través de mis lágrimas vi confusamente cómo caía en pedazos aquella playa, aquella remota mujer ansiosa, aquella espera. Pisoteé los jirones de tela y los refregué hasta convertirlos en guiñapos sucios. ¡Ya nunca más recibiría respuesta aquella espera insensata! ¡Ahora sabía más que nunca que esa espera era completamente inútil!

Corrí a casa de Mapelli, pero no lo encontré: me dijeron que debía de estar en la librería Viau. Fui hasta la librería, lo encontré, lo llevé aparte de un brazo, le dije que necesitaba su auto. Me miró con asombro: me preguntó si pasaba algo grave. No había pensado nada pero se me ocurrió decirle que mi padre estaba muy grave y que no tenía tren hasta el otro día. Se ofreció a llevarme él mismo, pero rehusé: le dije que prefería ir solo. Volvió a mirarme con asombro, pero terminó por darme las llaves.

XXXV

Eran las seis de la tarde. Calculé que con el auto de Mapelli podía llegar en cuatro horas, de modo que a las diez estaría allá. "Buena hora", pensé.

En cuanto salí al camino a Mar del Plata,[187] lancé el auto a ciento treinta kilómetros y empecé a sentir una rara voluptuosidad, que ahora atribuyo a la certeza de que realizaría por fin algo concreto con ella. Con ella, que había sido como alguien detrás de un impenetrable muro de vidrio, a quien yo podía ver, pero no oír ni tocar; y así, separados por el muro de vidrio, habíamos vivido ansiosamente, melancólicamente.

En esa voluptuosidad aparecían y desaparecían sentimientos de culpa, de odio y de amor: había simulado una enfermedad y eso me entristecía; había acertado al llamar por segunda vez a lo de Allende y eso me amargaba. ¡Ella, María, podía reírse con frivolidad, podía entregarse a ese cínico, a ese mujeriego, a ese poeta falso y presuntuoso! ¡Qué desprecio sentía entonces por ella! Busqué el doloroso placer de imaginar esta última decisión suya en la forma más repelente: por un lado estaba yo, estaba el compromiso de verme esa tarde; ¿para qué?, para hablar de cosas oscuras y ásperas, para ponernos una vez más frente a frente a través del muro de vidrio,

---

[187] **En . . . Plata**　As soon as I got onto the Mar del Plata highway.

para mirar nuestras miradas ansiosas y desesperanzadas, para tratar de entender nuestros signos, para vanamente querer tocarnos, palparnos, acariciarnos a través del muro de vidrio, para soñar una vez más ese sueño imposible. Por el otro lado estaba Hunter y le bastaba tomar el teléfono y llamarla para que ella corriera a su cama. ¡Qué grotesco, qué triste era todo! 25

Llegué a la estancia a las diez y cuarto. Detuve el auto en el camino real, para no llamar la atención con el ruido del motor y caminé. El calor era insoportable, había una agobiadora calma y sólo se oía el murmullo del mar. Por momentos, la luz de la luna atravesaba los nubarrones y pude caminar, sin grandes dificultades, por el callejón de entrada, entre los eucaliptos. Cuando llegué a la casa grande, vi que estaban encendidas las luces de la planta baja; pensé que todavía estarían en el comedor. 30

Se sentía ese calor estático y amenazante que precede a las violentas tempestades de verano. Era natural que salieran después de comer. Me oculté en un lugar del parque que me permitía vigilar la salida de gente por la escalinata y esperé. 35

XXXVI

Fue una espera interminable. No sé cuánto tiempo pasó en los relojes, de ese tiempo anónimo y universal de los relojes, que es ajeno a nuestros sentimientos, a nuestros destinos, a la formación o al derrumbe de un amor, a la espera de una muerte. Pero de mi propio tiempo fue una cantidad inmensa y complicada, lleno de cosas y vueltas atrás, un río oscuro y tumultuoso a veces, y a veces extrañamente calmo y casi mar inmóvil y perpetuo, donde María y yo estábamos frente a frente contemplándonos estáticamente, y otras veces volvía a ser río y nos arrastraba como en un sueño a tiempos de infancia y yo la veía correr desenfrenadamente en su caballo, con los cabellos al viento y los ojos alucinados, y yo me veía en mi pueblo del sur, en mi pieza de enfermo, con la cara pegada al vidrio de la ventana, mirando la nieve con ojos también alucinados. Y era como si los dos hubiéramos estado viviendo en pasadizos o túneles paralelos, sin saber que íbamos el uno al lado del otro, como almas semejantes en tiempos semejantes, para encontrarnos al fin de esos 5 10 15

pasadizos, delante de una escena pintada por mí, como clave destinada a ella sola, como un secreto anuncio de que ya estaba yo allí
y que los pasadizos se habían por fin unido y que la hora del encuentro había llegado.   20

   ¡La hora del encuentro había llegado! Pero ¿realmente los pasadizos se habían unido y nuestras almas se habían comunicado?[188]
¡Qué estúpida ilusión mía había sido todo esto! No, los pasadizos
seguían paralelos como antes, aunque ahora el muro que los separaba
fuera como un muro de vidrio y yo pudiese verla a María como una   25
figura silenciosa e intocable. . . No, ni siquiera ese muro era siempre
así: a veces volvía a ser de piedra negra y entonces yo no sabía qué
pasaba del otro lado, qué era de ella[189] en esos intervalos anónimos,
qué extraños sucesos acontecían; y hasta pensaba que en esos momentos su rostro cambiaba y que una mueca de burla lo deformaba y que   30
quizá había risas cruzadas con otro[190] y que toda la historia de los
pasadizos era una ridícula invención o creencia mía y que *en todo
caso había un solo túnel, oscuro y solitario: el mío, el túnel en que
había transcurrido mi infancia, mi juventud, toda mi vida.* Y en uno
de esos trozos transparentes del muro de piedra yo había visto a esta   35
muchacha y había creído ingenuamente que venía por otro túnel
paralelo al mío, cuando en realidad pertenecia al ancho mundo, al
mundo sin límites de los que no viven en túneles; y quizá se había
acercado por curiosidad a una de mis extrañas ventanas y había
entrevisto el espectáculo de mi insalvable soledad, o le había intrigado   40
el lenguaje mudo, la clave de mi cuadro. Y entonces, mientras yo
avanzaba siempre por mi pasadizo, ella vivía afuera su vida normal,
la vida agitada que llevan esas gentes que viven afuera, esa vida
curiosa y absurda en que hay bailes y fiestas y alegría y frivolidad.
Y a veces sucedía que cuando yo pasaba frente a una de mis ventanas   45
ella estaba esperándome muda y ansiosa (¿por qué esperándome?
¿y por qué muda y ansiosa?); pero a veces sucedía que ella no llegaba
a tiempo o se olvidaba de este pobre ser encajonado, y entonces yo,
con la cara apretada contra el muro de vidrio,[191] la veía a lo lejos
sonreír o bailar despreocupadamente o, lo que era peor, no la veía en   50

<hr>

[188] ¿**realmente . . . comunicado?** had our paths really come together and had our
    hearts really communicated?
[189] **qué era de ella** what she was doing.
[190] **risas cruzadas con otro** laughter exchanged with another.
[191] **apretada . . . vidrio** pressed against the glass wall.

absoluto[192] y la imaginaba en lugares inaccesibles o torpes. Y entonces sentía que mi destino era infinitamente más solitario que lo que había imaginado.

XXXVII

Después de este inmenso tiempo de mares y túneles, bajaron por la escalinata. Cuando los vi del brazo,[193] sentí que mi corazón se hacía duro y frío como un pedazo de hielo.

Bajaron lentamente, como quienes no tienen ningún apuro.[194] "¿Apuro de qué?", pensé con amargura. Y sin embargo, ella sabía 5 que yo la necesitaba, que esa tarde la había esperado, que habría sufrido horriblemente cada uno de los minutos de inútil espera. Y sin embargo, ella *sabía* que en ese mismo momento en que gozaba en calma yo estaría atormentado en un minucioso infierno de razonamientos, de imaginaciones. ¡Ah, qué execrable crueldad puede haber 10 en el corazón de la mujer más delicada! ¡Qué implacable, qué fría, qué inmunda bestia puede haber agazapada en el corazón de la mujer más frágil! Ella podía mirar el cielo tormentoso como lo hacía en ese momento y caminar del brazo de él (¡del brazo de ese grotesco individuo!), caminar lentamente del brazo de él por el parque, aspirar 15 sensualmente el olor de las flores, sentarse a su lado sobre la hierba; y no obstante sabiendo que en ese mismo instante yo, que la habría esperado en vano, que ya habría hablado a su casa y sabido de su viaje a la estancia, estaría en un desierto negro, atormentado por infinitos gusanos hambrientos, devorando anónimamente cada una de 20 mis vísceras.

¡Y hablaba con ese monstruo ridículo! ¿De qué podría hablar María con ese infecto personaje? ¿Y en qué lenguaje?

¿O sería yo el monstruo ridículo? ¿Y no se estarían riendo de mí en ese instante? Y no sería yo el imbécil, el ridículo hombre del 25 túnel y de los mensajes secretos?

Caminaron largamente por el parque. La tormenta estaba ya sobre nosotros, negra, desgarrada por los relámpagos y truenos. El pampero

---

[192] **no la veía en absoluto**   didn't really see her.
[193] **Cuando . . . brazo**   When I saw them arm in arm.
[194] **como . . . apuro**   like people without a worry in the world.

soplaba con fuerza y comenzaron las primeras gotas. Tuvieron que correr a refugiarse en la casa. Mi corazón comenzó a latir con dolo- 30 rosa violencia. Desde mi escondite, entre los árboles, sentí que asistiría, por fin, a la revelación de un secreto abominable pero muchas veces imaginado.

Vigilé las luces del primer piso, que todavía estaba completamente a oscuras. Al poco tiempo vi que se encendía la luz del dormitorio 35 central, el de Hunter. Hasta ese instante, todo era normal: el dormitorio de Hunter estaba frente a la escalera y era lógico que fuera el primero en ser iluminado. Ahora debía encenderse la luz de la otra pieza. Los segundos que podía emplear María en ir desde la escalera hasta esa pieza estuvieron tumultuosamente marcados por los salvajes 40 latidos de mi corazón.

Pero la otra luz no se encendió.

¡Dios mío, no tengo fuerzas para decir qué sensación de infinita soledad vació mi alma! Sentí como si el último barco que podía rescatarme de mi isla desierta pasara a lo lejos sin advertir mis señales 45 de desamparo. Mi cuerpo se derrumbó lentamente, como si le hubiera llegado la hora de la vejez.

XXXVIII

De pie entre los árboles agitados por el vendaval, empapado por la lluvia, sentí que pasaba un tiempo implacable. Hasta que, a través de mis ojos mojados por el agua y las lágrimas, vi que una luz se encendía en otro dormitorio.

Lo que sucedió luego lo recuerdo como una pesadilla. Luchando 5 con la tormenta, trepé hasta la planta alta por la reja de una ventana. Luego, caminé por la terraza hasta encontrar una puerta. Entré a la galería interior y busqué su dormitorio: la línea de luz debajo de su puerta me la señaló inequívocamente. Temblando empuñé el cuchillo y abrí la puerta. "Para qué cerrarla con llave", todavía pude pensar 10 con amargura. Y cuando ella me miró con ojos alucinados, yo estaba de pie, en el vano de la puerta. Me acerqué a su cama y cuando estuve a su lado, me dijo tristemente:

—¿Qué vas a hacer, Juan Pablo?

Poniendo mi mano izquierda sobre sus cabellos, le respondí: 15

—Tengo que matarte, María. Me has dejado solo.

Entonces, llorando, le clavé el cuchillo en el pecho. Ella apretó las mandíbulas y cerró los ojos y cuando yo saqué el cuchillo chorreante de sangre, los abrió con esfuerzo y me miró con una mirada dolorosa y humilde. Un súbito furor fortaleció mi alma y clavé muchas veces el cuchillo en su pecho y en su vientre.

Después salí nuevamente a la terraza y descendí con un gran ímpetu, como si el demonio ya estuviera para siempre en mi espíritu. Los relámpagos me mostraron, por última vez, un paisaje que nos había sido común.[195]

Corrí a Buenos Aires. Llegué a las cuatro o cinco de la madrugada. Desde un café telefoneé a la casa de Allende, lo hice despertar y le dije que debía verlo sin pérdida de tiempo. Luego corrí a Posadas. El polaco estaba esperándome en la puerta de calle. Al llegar al quinto piso, vi a Allende frente al ascensor, con los ojos inútiles muy abiertos. Lo agarré de un brazo y lo arrastré adentro. El polaco, como un idiota, vino detrás y me miraba asombrado. Lo hice echar.[196] Apenas salió, le grité al ciego:

—¡Vengo de la estancia! ¡María era la amante de Hunter!

La cara de Allende se puso mortalmente rígida.

—¡Imbécil! —gritó entre dientes, con un odio helado.

Exasperado por su incredulidad, le grité:

—¡Usted es el imbécil! ¡María era también mi amante y la amante de muchos otros!

Sentí un horrendo placer, mientras el ciego, de pie, parecía de piedra.

—¡Sí! —grité—. ¡Yo lo engañaba a usted y ella nos engañaba a todos! ¡Pero ahora ya no podrá engañar a nadie! ¿Comprende? ¡A nadie! ¡A nadie!

—¡Insensato! —aulló el ciego con una voz de fiera y corrió hacia mí con unas manos que parecían garras.

Me hice a un lado[197] y tropezó contra una mesita, cayéndose. Con increíble rapidez, se incorporó y me persiguió por toda la sala, tropezando con sillas y muebles, mientras lloraba con un llanto seco, sin lágrimas, y gritaba esa sola palabra: *¡insensato!*

---

[195] **que ... común** that we had shared.
[196] **Lo hice echar** I had him thrown out.
[197] **Me ... lado** I stepped aside.

Escapé a la calle por la escalera, después de derribar al mucamo que quiso interponerse. Me poseían el odio, el desprecio y la compasión.

Cuando me entregué, en la comisaría, eran casi las seis.

A través de la ventanita de mi calabozo vi cómo nacía un nuevo 55 día, con un cielo ya sin nubes. Pensé que muchos hombres y mujeres comenzarían a despertarse y luego tomarían el desayuno y leerían el diario e irían a la oficina, o darían de comer a los chicos o al gato, o comentarían el film de la noche anterior.

Sentí que una caverna negra se iba agrandando dentro de mi 60 cuerpo.

XXXIX

En estos meses de encierro he intentado muchas veces razonar la última palabra del ciego, la palabra *insensato*. Un cansancio muy grande,[198] o quizá un oscuro instinto, me lo impide reiteradamente. Algún día tal vez logre hacerlo y entonces analizaré también los motivos que pudo haber tenido Allende para suicidarse.   5

Al menos puedo pintar, aunque sospecho que los médicos se ríen a mis espaldas, como sospecho que se rieron durante el proceso cuando mencioné la escena de la ventana.

Sólo existió un ser que entendía mi pintura. Mientras tanto, estos cuadros deben de confirmarlos cada vez más en su estúpido punto de 10 vista. Y los muros de este infierno serán, así, cada día más herméticos.

FIN

---

[198] **Un cansancio muy grande**   A feeling of great weariness.

Vocabulary

The following types of words have been omitted from this vocabulary: (a) exact or easily recognizable cognates; (b) well-known proper and geographical names; (c) proper nouns and cultural, historical, and geographical items explained in footnotes; (d) individual verb forms (with a few exceptions); (e) regular past participles of listed infinitives; (f) some uncommon idioms and constructions explained in footnotes; (g) diminutives in **-ito** and **-illo** and superlatives in **-ísimo** unless they have a special meaning; (h) days of the week and the months; (i) personal pronouns; (j) most interrogatives; (k) possessive and demonstrative adjectives and pronouns; (1) ordinal and cardinal numbers; (m) articles; (n) adverbs in **-mente** when the corresponding adjective is listed; and (o) some simple prepositions.

The gender of nouns is not listed in the case of masculine nouns ending in **-o** and feminine nouns ending in **-a, -dad, -ez, -ión, -tad,** and **-tud.** A few irregular plurals, such as "veces," are listed both as singular and plural. Most idioms and expressions are listed under their key word. Radical changes in verb conjugations are indicated thus: **(ue), (ie, i),** etc. Prepositional usage is given in parentheses after verbs. A dash means repetition of the key word. Parentheses are also used for additional explanation or comment on the definition.

Many of the above criteria were not applied in an absolute fashion. Whenever we doubted that an average second-year student would understand a particular term, we included it.

ABBREVIATIONS

f.	feminine		*p.p.*	past participle
m.	masculine		*adj.*	adjective
expl.	expletive		*n.*	noun
pl.	plural		*v.*	verb
		adv. adverb		

abajo down, under, below; **allá**
——— down below
abandono abandonment
abarcar to cover; to reach; to take in
abatido defeated, dejected
abatimiento depression
abierto open
abismo abyss
ablandarse to become soft
abnegación abnegation, self-denial
abolir to abolish
abrumador annoying
abstraído lost in thought
abuelo grandfather
abúlico lethargic, lacking will power
aburrido boring
acá here
acabar to finish
acantilado steep cliff
acariciar to caress
acaso perhaps
acción deed, act
acelerar to accelerate
acento accent
acentuar to accentuate
aceptar to accept
acerca about, relating to; ——— **de**
concerning, regarding, about
acercarse to approach, draw near
acertar (ie) to guess; to hit upon
aclaración clarification, explanation
aclarar to clear up; to dawn
acometer to attack; to come over
aconsejar to advise; to lead on
acontecer to happen
acontecimiento event, happening
acorazado battleship
acostarse (ue) to go to bed
acostumbrado accustomed
acreditar to accredit
actitud attitude
adelante ahead, on, forward; **más**
——— further on; **seguir** ———
to continue (on), go on ahead
adentro inside
adivinar to guess
admiración admiration
admirador admirer
admirarse to be amazed
aducir to add; to submit
advertencia advice, observation

advertir (ie) to notice, warn; **por**
——— in order to warn
aferrarse (ie) to clutch, grasp, hold
on to
aficionado fond
aflojarse to become weak, become
relaxed, become loose
afuera outside
agarrar to seize, grasp, clutch, grab
agarrarse to hang on to, grasp, hold
on to
agazapado in hiding, concealed,
hidden
agitación excitement
agitado excited, restless, tense
agobiador oppressive
agotador exhausting
agotar to exhaust; to run dry
agrandar to become big
agravante insult
agravar to aggravate
agregar to add
aguantar to stand, bear, put up with
agujero hole
ahogar to choke
ahora now; ——— **bien** well now,
well then
aislado isolated, deserted
aislamiento isolation
ajedrez *m.* chess
ajeno distant, foreign
ajetreo din, bustling, commotion
alargar to prolong, extend
alba *m.* dawn
albergar to shelter
alcanzar to reach, reach out, hold
out; to manage
alegato allegation
alegre happy
alegría happiness
alejado distant
alelarse to become stupid
alentar (ie) to encourage
alero overhang
aletargamiento lethargy
alimentado fed
alma *m.* soul
almacén *m.* store, shop
alrededor around
alto tall
alucinado in a trance

alucinante hallucinating
alumbrar to light
allí there
amable lovable, wonderful
amante *m.* lover
amargar to embitter
amargura bitterness
ambiente *m.* environment, surroundings
amenazante threatening
amistad friendship
amontonarse to become heaped up, thrown together, bunched up
analizar to analyze
andar to walk
angustia anguish
angustioso anguished
animar to encourage
animarse to get up the courage, become encouraged
ánimo spirit, courage
aniquilación annihilation
anonadado deflated, humbled
anónimo anonymous
anormal abnormal
ansiar to wish, desire; to hope; to be anxious
ansiedad anxiety
ansioso anxious, filled with anxiety
ante before; ———— **la posibilidad** when confronted with the possibility; ———— **quien** before whom
antemano beforehand
anteojos eyeglasses
anterior previous
antiguo old
antipatía antipathy
anuncio announcement
añadir to add
apagado faint, hushed
apagarse to go out
aparecer to appear
aparentar to pretend, give the appearance
aparente apparent
apariencia appearance; **en** ———— apparently
apartarse to draw away, move away, get away
apego attachment, fondness
apellido last name, surname

apenas hardly
aplacar to placate, pacify
aplastado overwhelmed, defeated, exhausted
aplomo aplomb
apócrifo apocryphal, false
apoderarse to take possession of
apoyo support
aprendiz *m., f.* amateur, novice
aprendizaje *m.* apprenticeship
aprensión fear
apresuradamente hurriedly
apretar (ie) to tighten, squeeze; to press, grip
apropiado appropriate
aprovechar to take advantage, avail oneself of, make use of
apuro haste; **tener** ———— to be in a hurry
argüir to argue
argumentar to argue
argumento reason
arma *f.* weapon, arms
arquitecturado architecturally sound
arrastrar to drag
arrebato rapture
arreglar to arrange; to fix
arrepentimiento repentance
arrepentirse (ie) to change one's mind; to repent
arriba upstairs, above, up; **hacia** ———— upwards
arrojar(se) to cast (oneself), throw (oneself), jump
arruga wrinkle
artificioso artificial
asaltar to attack
ascensor *m.* elevator
ascensorista *m.* elevator operator
asco disgust, nausea, loathing
asegurar to insure, assure
asesinato murder
asesino murderer
así thus; ————, ———— so so, middling
asiento seat
asistir to attend
asomarse to appear; to look out
asombrar to astonish
asombro astonishment
asombroso astonishing, astounding

áspero harsh
astro star
asunto matter, subject
asustar to frighten
atacar to attack
atardecer *m.* sundown, sunset
atención attention; **llamar la ———**
to attract attention
atender (ie) to answer; to attend,
wait on, attend to
atentamente carefully, respectfully,
closely
atenuar to attenuate; to soften
aterrorizar to terrify
atestado packed, full, crowded
atinar to hit the mark, guess
correctly
atolondramiento stupefaction,
consternation
atormentar to torment
atraer to attract
atrás back
atribuir to attribute
atropelladamente hastily
atroz atrocious
audaz bold, daring
aullar to howl
aumentar to increase
aún even
aunque although
ausencia absence
ausente absent
aventura adventure, affair
avergonzar to shame, embarrass
avergonzarse (ue) to be ashamed
averiguar to investigate
avidez *f.* covetousness
ávido greedy, covetous
ayuda help
azar *m.* chance

baile *m.* dance
bajar to go down, descend
bajeza baseness, lowliness, base act
bajo waterfront area in Buenos Aires
balbucear to stammer
banco bench
bañadera bathtub
bañar to bathe
baraja deck of cards
barajar to shuffle (cards, ideas)
barbaridad rash act, cruelty

barbita goatee, little beard
barco ship, boat
barrio neighborhood, section
barro mud
básico basic
bastante rather, enough
bastar to be sufficient, be enough
basura dirt
batir to beat, strike; **——— de las
olas** the dash of the waves
batuta baton
beber to drink
belleza beauty
besar to kiss
bestia beast
biblioteca library
bicho insect, guy
bienestar *m.* well-being
biombo folding screen
bisabuelo great-grandfather
bisturí *m.* scalpel
blando soft
boca mouth, exit
bolsillo pocket
bondad good
bondadoso good, kindhearted
boquilla cigarette holder
borde border, margin
borrachera drunkenness, drunken
stage
borrador rough draft
borrar to erase
borroso blurred, illegible
botella bottle
brazo arm; **caminar del ———** to
walk arm in arm
brillo shine, twinkle, spark
bruscamente brusquely, abruptly,
harshly
brusquedad brusqueness
burlarse to make fun of, mock
burlonamente mockingly
buscar to look for, seek
búsqueda search

caballete painter's easel
caballo horse
cabello hair
cabeza head
cabo end
cada each
caer to fall

cafetín *m.* small café, cheap café;
——— **del bajo** rundown waterfront café
caída fall; ——— **del sol** sunset
cajón *m.* drawer
calabozo jail cell, prison
calificación classification, grade
calificar to qualify; to grade
calor *m.* warmth, heat
callado quiet, hushed, still
calle *f.* street
callejero of the streets
callejón *m.* narrow lane, alley
cambiar to change
cambio: en ——— on the other hand
caminar to walk; ——— **al azar**
to walk haphazardly without any
specific direction; ——— **a tientas**
groping in the dark; ——— **del**
brazo walk arm in arm
camino road, highway; ——— **real**
main highway, royal highway; **por**
mal ——— on the wrong track
campo camp, country
cana gray hair
cansancio tired feeling
cansar to tire
cantar to sing
cantidad quantity, great number
caos *m.* chaos
capa layer, cloak
capaz capable
capitán *m.* captain
captar to capture
cara face
caramba (*expl.*) wow! gosh! shucks!
carguero freighter
cariño love
carne *f.* flesh, meat
carpeta portfolio, folder
carrera race
cartel *m.* sign
casado married
casco shell, foundation
caso case; **en** ——— **de** in the
event of; **en el** ——— **de ganar**
in the event of winning; **en todo**
——— in any case, in any event
castaño chestnut
casualidad coincidence, accident
causa cause, reason; **a** ——— **de**
because of

caverna cavern
ceder to cede, concede, yield
cédula de identidad identification
card
ceguera blindness
célebre famous
celos *m. pl.* jealousy; **tener** ———
to be jealous
celoso jealous
censo: levantar un ——— make a
list of annoying things
centavo cent
ceñido concise, succinct
cerca near
cercano near
cerebro brain
cerradura keyhole
cerrar (ie) to close, seal; ——— **con**
llave to lock
certeza certainty; **tengo la** ———
I am certain
certificado: ——— **de domicilio**
proof of residence
certificar to certify
cerveza beer
cesto basket
ciego blind; **quedar** ——— to become blind
cielo sky
cierto certain, true
cifrado ciphered, coded
cigarrillo cigarette
cirugía surgery
cirujano surgeon
citar to call, summon; to quote, cite,
mention
claro clear; ——— **que** of course
clausurar to close, enclose
clavar to stab; to nail; ——— **la**
mirada to stare
clave *f.* key; **dar con la** ——— to
hit upon the key to the situation
coctel cocktail
codicia covetousness
cofradía fraternity
colectivo collective; bus
colega *m.* colleague
colgar (ue) to hang; ——— **el tubo**
to hang up the receiver
colina hill
colmo crown, summit
colocarse to place oneself, situate

oneself
comediante actor, "ham"
comedor *m.* dining room
comenzar (ie) to begin
comer(se) to eat
cometerse to be committed; to commit oneself
comida food, dinner
comienzo beginning
comisaría police station
como as, like; **tal** ——— just as
cómo how
cómodo comfortable
compadecer to have pity
compañero companion, fellow; ——— **de baraja** card partner
compartir to share
complejo complex
compra purchase
comprender to understand
comprobar (ue) to prove
comprometedor compromising
comprometer to involve, compromise
compromiso compromise, obligation
común common
comunicación line (telephone)
comunidad community, communication
concentrarse to concentrate, gather one's thoughts
conciencia consciousness
concluir to conclude
condenar to condemn
condolerse to pity
conducir to lead
conejo rabbit
confundir to confuse
confusamente confusedly
conglomerado gathering, conglomeration
congreso congress, gathering
conjetura conjecture
conjunto gathering, bunch
conocer to know; to meet
conocimiento knowledge
consejo advice
constituir to constitute
construcción fabrication, construction
construir to construct
consulta question, consultation
consultorio office

contar (ue) to tell, relate; to count
contener to contain
contestación answer
contraerse to contract
contraído contracted
contrario contrary; **por el** ——— on the contrary
contrarrestar to counteract, oppose
convertir to convert
corazón *m.* heart
corcho cork
corporalmente bodily, corporally
corredor corridor, hallway
corregir (i) to correct
correo mail, post office; **a vuelta de** ——— by return mail
correr to run; to race
corresponder to correspond; to be logical; to follow
corriente usual
cortar to cut, cut short
cortejo parade, accompaniment
cortesía courtesy
cosa: es ——— **de no acabar** it's endless
costa coast
costado: de ——— sidewise
costar (ue) to cost; to require
costumbre custom, habit, usual
crecer to grow, increase
crecido: río ——— river swollen by rains
creciente increasing, on the increase
creer(se) to think (oneself), believe (oneself)
crepúsculo twilight
cretino idiot, "fat head"
creyente *m.* believer
cría breed
criatura person, creature
crispar to aggravate, put on edge; to become edgy
criterio criterion
cruzar to cross
cuadra block
cuadro painting, picture
cualidad quality
cualquier(a) anyone, any; ——— **otro** any other person; **una declaración** ———**a** any kind of a declaration
cuanto: en ——— as soon as

cuarto: el ——— de al lado the next room
cubierto (*p.p. of* **cubrir**) covered
cuchichear to whisper
cuello neck
cuenta: al fin de ———s when all is said and done; **caer en la ———** to realize; **darse ———** to realize; **por su ———** on his own account
cuerpo body
cueva cave
cuidar to care for, take care of
culpa blame, fault; **por su ———** because of her; **tener la ———** to be to blame
culpable guilty, blamable
culpar to blame
cuyo whose

chapoteando paddling
charlatán charlatan, fraud
chifladura foolishness, madness
chillido screech
chiquillín *m.* little boy, little fellow
chiquillo little boy
chiste *m.* joke
chófer *m.* chauffeur, driver
choque *m.* clash
chorreante dripping
chorrito stream

dama lady
dar to give, produce; **——— a** to face; **——— con la clave** to find the key, to solve; **——— de comer** to feed; **——— rabia** to annoy, make angry; **——— una vuelta** to take a walk; **———se cuenta** to realize
debajo underneath
deber ought to; to have to
débil weak
debilidad weakness
decidido decided, definite
decir (i) to say; to call; **querer ———** to mean
decorado decorated
definido definite
definitivo definitive; **en definitiva** exactly
deforme deformed

dejar to leave; **——— de** to stop
delante (de) in front (of)
delatar to denounce; to inform; to impeach
demás rest, others
demasiado too much
demostración demonstration, proof
demostrar (ue) to show, demonstrate
demudado pale, changed
dentro inside
denunciar to denounce
departamento apartment
depravado depraved
deprimir to depress
derecho right
derribar to knock over, knock down
derrota defeat
derrumbar to topple, knock over
derrumbarse to crumble, sag, fall down
derrumbe *m.* collapse, downfall
desafiar to challenge
desalentador discouraging, breathtaking
desaliento discouragement, dismay, lack of courage
desamparo abandonment, helplessness
desanimar to discourage
desaparecer to disappear
desayuno breakfast
desbordante overflowing
desbordar to overflow
descabellada wild, absurd
descansar to rest
descargar to discharge
descartar to discard
desconocido unknown
desconocimiento ingratitude
desconsolado dejected, sad
desconsolador forlorn, troubling
desconsuelo sadness, affliction
descontento unhappy
descubrir to discover
desde since; **——— allá** from over there, from yonder; **——— luego** of course
desdén *m.* disdain
desdeñar to disdain
desechar to reject; to dismiss
desempeñar to carry out, do

desencadenarse to be released, release oneself, unchain oneself

desencontrarse to miss, not to run into

desenfrenadamente uncontrollably wild

desenfrenado uncontrollable, outrageous

desengaño disillusionment

deseo desire, wish

desesperación despair, desperation

desesperado desperate, despaired, hopeless

desesperar to despair

desfilar to parade

desgarrado bold, shameless

desgarrando destroying, tearing

desgraciadamente unfortunately

desgraciado wretched

desierto desert

desnudarse to undress

desolar to harass

desorientado upset, confused

despachado dispatched, mailed

despachar to mail, send

despavorido frightened

despecho indignation, scorn

despejarse to clear one's mind

desperdiciado wasted

despertar (ie) to wake up

despertarse (ie) to wake oneself up

despierto awake

despistar to mislead

despreciable scornful, hateful

despreciar to scorn

desprecio scorn, hate

despreocupadamente unconcernedly, unworriedly

desproporcionado absurd, unreasonable, disproportionate

desprovisto absent, shorn, deprived

después after

destello glimmer, sparkle

destilando distilling

destinar to destine, give

destrozar to destroy

destruir to destroy

detalle *m.* detail

determinado definite, determined, decided

detener to stop, detain; ———se to stop; to stay

detrás behind

devolver (ue) to return

devorar to devour

día *m.* day; **a los dos ———s** when two days had passed; **al otro ———** on the following day; **el ——— tal** on such and such a day

dialéctica dialectic, logic

diario daily, newspaper

dibujar to draw, sketch

dibujo drawing, design

dictaminar to state; to judge

dicharachero vulgar or witty expression

dientes: decir entre ——— to mutter, to mumble

diéresis *f.* dieresis

dilucidar to elucidate, explain

dirigir to conduct; to direct; ——— **la palabra a uno** to address someone; ———**se** to address

discernir (ie) to discern, make out the words

disculparse to excuse oneself, make apologies

disgustar to disgust, displease

disimular to hide, conceal

disipar to expel, disperse

disminuir to diminish

disponer to have available; ———**se** to be ready, be prepared

dispuesto ready, prepared

distanciamiento distance

distintamente distinctly

distraerse to become distracted

divertido entertaining, funny

divertirse to enjoy oneself

doblar to fold

doler to pain, hurt

dolor *m.* sorrow, pain

dolorido pained, sorrowful, hurt

doloroso painful, sorrowful

domicilio house address

dominio control

dormido asleep

dormir (ue, u) to sleep; ———**se** to fall asleep

dormitorio bedroom

dramatismo dramatic interest, dramatic quality

duda doubt; **no lo pongo en ———** I don't doubt it

dudar to doubt, hesitate
dudoso doubtful
dueño master
dulcemente sweetly
duradero lasting
durante during
durar to last
dureza hardness, firmness
duro hard

echar to cast, throw; ——— **a** to begin to; ——— **en el olvido** to forget; ———**se** to lie down; ———**se a reir** to begin to laugh, break out laughing
edad age
edificio edifice, building
editor *m.* publisher, editor
editorial *m., f.* publishing house
educado educated, well-mannered, courteous; **mal** ——— ill-mannered
efectivamente certainly, of course
efecto: en ——— in fact, correct
eficaz efficient
efusión effusion
egoísta egoist
ejecutar to execute
ejemplo example; **un** ——— **de todos los días** an everyday occurrence
elaborado elaborate
elegir (i) to select, elect
elemento element, detail
elogiable praiseworthy
elogiar to praise
elogio eulogy
embargo: sin ——— nevertheless
embaucar to deceive
emborracharse to get drunk
emerger to emerge
emigrado immigrant
emocionado emotional
emocionarse to be moved
empapado drenched, saturated
empezar (ie) to begin
empleado employee
emplear to use, employ
empuñar to clench; to take up in one's fist
enamorado in love; **estar** ——— **de** to be in love with

enardecer to burn, to anger
encajonado boxed in, enclosed
encandilado blinded, enraged
encandilamiento blindness, blind with rage
encantamento enchantment
encantar to enchant, love
encargado chief, manager, foreman
encargando embodying, making concrete
encargar to commission, request
encegar to blind
encender (ie) to light; ——— **la luz** to turn on the light; ———**se** to be lighted, light up
encerado waxed
encerrar(se) to enclose (oneself)
encierro enclosure
encima on top
encogerse: ——— **de hombros** to shrug one's shoulders
encontrar (ue) to find; ———**se** to meet
encuentro meeting, encounter; **fui a su** ——— went to meet her
endurecerse to become hard
enérgicamente energetically
enfermarse to fall ill
enfermedad illness
enfermo sick person, ill person
enfrentar to confront
enfrente opposite, in front
enfurecerse to become furious
engañar to deceive
engaño deceit
engorroso troublesome, cumbrous, awkward
enigma *m.* puzzle, question, enigma
enigmático enigmatic, puzzling
enlodar to muddy, bemire
enloquecer to go mad; to drive mad
enojarse to become angry
enorgullecer to make proud; ———**se** to be filled with pride, be proud
enorme enormous
enredar to entwine, entangle, ensnare
enrevesado entangled, difficult
ensayo essay
ensombrecido saddened
entablar to establish, begin
entablillar to splint, put on a splint

ente *m.* entity, being
entender (ie) to understand
enterar to inform
entero entire, whole, complete
entonación intonation
entonces then; **en aquel** ———— at that moment
entrada entrance; **de** ———— from the beginning
entrar to enter
entre between, among
entregado surrendered
entregar to deliver, hand over, give; ————**se** to surrender
entristecer to sadden; to grieve
entrometimiento interference
entusiasmarse to become enthusiastic
entusiasmo enthusiasm
enviar to send
envidia envy
envidioso envious
envolver (ue) to wrap, envelope; to gather
época time, epoch, age
equivocarse to err, be mistaken
equívoco wrong, in error
escalera stairs
escalinata stone staircase
escatimar to spare; to avoid, lessen, tone down
escepticismo skepticism
esconder to hide
escondite *m.* a hiding place
escritor *m.* writer
escritorio desk
escrúpulo scruple
escrutar to scrutinize
escuchar to listen
escueto succinct, concise
escurridizo evasive
esfuerzo effort
eso: a ———— **de** around; **por** ———— for that reason; **¡y** ————**!** so what!
espaldas: a mis ———— behind my back
espantar to frighten
especie *f.* kind, species
especificar to specify
esperanto Esperanto (an artificial language)
esperanza hope

esperar to wait, expect, hope
espiar to spy
espiritismo spiritualism
espíritu soul, spirit
espuma foam
esquina corner
establecer to establish; ————**se** to become established
estadística statistics
estado de ánimo mood
estallar to burst, to break forth
estanque tank (of water)
estante *m.* shelf
estatura stature, build
estatuto statute, law
éste this one, this guy
estilo style, manner, type; **algo por el** ———— something of the sort
estóico stoic
estratificación stratification
estrato stratum, layer
estribar to found, be supported, hinge upon
estrujar to press, squeeze
estupefacto dumbfounded
estupidez stupidity
estupor *m.* stupor
eucalipto eucalyptus tree
evitar to avoid
exagerado exaggerated
examen examination, test; **tomar** ———— to examine, to question
exigir to demand
experimentar to experience, feel
explicar to explain
explorador explorer
exponer to expose, explain
expuesto exhibited
extenso extensive
extraer to extract, to draw out
extrañado puzzled, surprised
extraño strange, odd
extremo end, extreme

facilitar to facilitate
factible feasible, practicable
facultad faculty
fálico phallic
falta error, mistake, fault, lack; **en** ———— at fault
fallar to fail

familia: ——s numerosas large
families
fantasmagoría phantasmagory
farol *m.* lantern, light
fascismo Fascism
fase *f.* phase
fealdad ugliness
fecha date
felicidad happiness
feliz fortunate, happy
fenómeno phenomenon
feo ugly
ferocidad ferociousness
feroz ferocious
férreo harsh, stern, severe
fidelidad fidelity, accuracy
fiera beast
figura figure, shape, face
fijamente fixedly
fijar to fix; to set; ——se en to
notice
fijo fixed, set
fila line, row
fin *m.* end; **al** —— finally; **al**
—— **y al cabo** after all, after
all is said and done; **en** —— in
short; **por** —— finally
fingir to feign, to pretend
finísimo very well bred, very fine
firma signature
firmemente firmly
firmeza firmness
flaco skinny, thin
foco focus, light, beacon
fondo basis, depth; **a** ——
deeply, well
forma way, manner, form, shape
formar to shape, form, make up
fortalecer to strengthen, give
strength
forzar to force
forzosamente necessarily, forcefully
fósforo match
fracasar to fail, be defeated
francés French
franco frank, sincere
frase *f.* phrase, sentence, utterance
fraude *m.* fraud, deceit
frenético frenzied
frente front; **de** —— in front,
across the front; —— **a** ——
face to face

fresco fresh air
freudiano Freudian
fríamente coldly
frío: quedarse —— to be stunned
frivolidad frivolity
frívolo frivolous
fructífero fruitful
fuera como fuera whatever the
case, be it as it may
fuerte strong, harsh
fuerza force, strength, energy; **a**
—— **de** through, by means of
fuga escape
fugaz fleeting, perishable
fumar to smoke
fundición foundry
furia anger, fury

galicismo Gallicism (A French word
or idiom used in another language)
gallo rooster
gana want, desire, yearning; **si le da
la** —— if he wants to; **tener**
——s **de** to feel like, have the
urge
ganar to win; to gain, earn
garantía guarantee
garganta throat
garra claw
gastar to spend
gato cat
gemir (i) to moan, groan
género kind, genre
genio genius
gente *f.* people
gentuza low type, low people
gesto gesture
gigantesco gigantic
gimnasia exercise
ginebra gin
gobernar (ie) to govern
golpe blow; **de** —— suddenly,
at one time
golpear to beat, strike, knock
gota drop
gozar to enjoy
gozosamente joyously
grabar to engrave
gracioso funny, humorous, graceful
grandeza greatness
gratuito gratuitous
gremio guild

gritar to shout
grito shout, scream; **a ———s**
  shouting; **pedir a ———s** to
  shout, shout requests
groseramente basely, coarsely,
  rudely
grosería coarseness, ill-breeding,
  crudeness
grosero coarse, rude, unpolished
grotesco rude, grotesque
gruñir to grunt, creak
grupo group
guardar to keep; to hold; to save; to
  hide
guardia *m., f.* guard
guía *m.* guide (person); *f.* guide
  (book); ——— **de teléfonos** telephone directory
guiar to guide
guiñapo tatter, rag
guiñar to wink
gusano worm
gustar to like
gusto taste, pleasure

haber: ——— **de** to be to; to be supposed to; ——— **que** to be neces-
  sary
habilidad ability, gift
habitación room
habitante *m., f.* inhabitant
habladuría gossip, tale
hacer to do, make; ——— **constar**
  to affirm, state, put on record;
  ——— **el relato** to tell the story,
  relate; ——— **notar** to call to
  one's attention; ——— **saber** to
  inform; ——— **una gestión** to do
  an errand; ——— **una pregunta**
  to ask a question; **hace (un) tiempo**
  some time ago; **¿cuánto hace?**
  how long ago?; ———**se** to become; to be done; to accustom
  oneself
hacia toward
hallar(se) to find (oneself)
hambre *f.* hunger
hambriento hungry
harpía shrew, harpy
hasta to, up to, until
hecho fact, act, deed
helado frozen

herida wound
herir (ie) to injure, hurt
hervidero boiling spring, ebullition
hierba grass, herb
hierro iron
hiriente wounding
historia story
hoja leaf
hombro shoulder; **encogerse de**
  ———**s** to shrug one's shoulders
hora: a esas ———s at that hour;
  a la ——— tal at such and such
  an hour; **a semejante ———** at
  such an hour; **la ——— de salida**
  quitting time
horrendo horrible
horrorizar to horrify; ———**se** to
  become horrified, become horror
  stricken, be terrified
hueso bone
huida flight
huir to flee
humeante smoking, smouldering
húmedo humid
humildad humility
humillación humiliation
humillante humbling
humillar(se) to humble (oneself)
hundir(se) to sink, bury; to depress

ida departure; ——— **y vuelta**
  round trip
ideado thought up
idiotez silliness, idiocy
igual same, equal
iluminación illumination (flash of
  knowledge)
imagen *f.* image
imbecilidad imbecility
impedir (i) to prevent
ímpetu *m.* impetus
imponerse to impose on oneself
importar to matter
imprecisión lack of clarity, lack of
  preciseness
impreciso hazy
imprevisible unforeseeable
imprevistamente suddenly, surprisingly
imprevisto unforeseen
inadvertido unnoticed
inasible unattainable

incapaz incapable, unable, weak
incendiar to set on fire
incluir to include
incomprensión miscomprehension,
　misunderstanding
inconcebible inconceivable
inconexo loose, disconnected
insconsciencia unconsciousness
inconscientemente unconsciously
incontenible uncontrollable, not
　containable
inconveniencia inconvenience,
　awkwardness, difficulty
inconveniente *adj.* inconvenient;
　m. n. impediment, inconvenience,
　mental reservation
incorporarse to stand up, sit up
　straight, stiffen
increíblemente incredibly
indagar to question
indeciso unclear, vague
indefenso defenseless
indescriptible indescribable
indicio indication, sign
indignar to irritate, provoke; ——— ·
　se to become indignant
indisposición indisposition, slight
　disorder
indispuesto ill
individuo individual, person
inducir to induce, lead
ineludible unavoidable
inequívocamente unerringly
inescrutable inescrutable
inesperado unexpected
inestable unstable
infecto infected, vile
infeliz *m.* wretch, unfortunate,
　fool
inferir (íe) to infer
infiel unfaithful
infierno hell
ingeniería engineering
ingenuidad ingenuousness, frank-
　ness, naïveté
inmerecido undeserved
inmundo filthy, dirty
innoble ignoble
insaciable insatiable, craving
insalvable lost, insurmountable
insensatamente insensibly, stupidly
insensatez stupidity, folly
insensato fool

inservible useless
insoportable unbearable
instantáneo instant, immediate
instante: a los pocos ———**s** a few
　minutes later
insuperable insurmountable
íntegro complete
intencionado intended, with mean-
　ing
intentar to attempt, try
intento attempt
interponerse to come between,
　interpose
interrogatorio interrogation, ques-
　tioning session
interrumpir to interrupt
intocable untouchable
intrigar to intrigue
intuir to sense, feel intuitively
inundación flood
inusitado unaccustomed, unusual
inútil useless
inverso reverse
investigar to investigate
irrazonablemente unreasonably
irreal unreal
irreflexivo inconsiderate, indiscreet
irremediable helpless, irremediable
irritar to irritate; ———**se** to
　become irritated, become upset
isla island
izquierdo left

jamás never
jardín *m.* garden
jarro jar, pitcher
jefe boss, chief
jerga jargon, language
jirón *m.* strip
jornada journey, chance, gamble
jugar (ue) to gamble, play
juicio judgment, opinion
juntar to join, bring together
justamente precisely
justicia justice
justificar to justify
justificatorio justifying
juzgar to judge; ——— **a ojo** to
　estimate

laberinto labyrinth
labio lip

lado side; **al ——— de** alongside;
  dejar de ——— to leave aside;
  hacerse a un ——— to step aside;
  por ningún ——— nowhere; **por
  un ———** on the one hand
lágrima tear
laguna blank spot
lanzar to launch, accelerate
lapso lapse
largo long; **a lo ——— de** along
larguísimo very long
lástima pity, shame; **¡Qué ———!**
  What a pity!
latido beat
latir to beat
lector *m.* reader
leer to read
lejano distant
lejos far
lenguaje *m.* language; **———
  cifrado** secret code, language in
  code
lentamente slowly
lentitud slowness
levantar to lift, raise; **———se** to
  get up
leve light; **——— temblar** light
  quiver
liana vine
liberarse to free oneself
librado freed, delivered, surrendered
librería bookstore
libreta booklet; **——— de enrolamiento** draft card, enlistment
  card, army registration card
ligero light
limosna alms
limpieza cleaning
limpio clean
linda beautiful
línea line, stream
lío argument, fight, trouble
liquidar to eliminate, liquidate, get
  rid of
local *adj.* local; *m.n.* place
locuaz loquacious
locura madness
lograr to achieve; to manage
lotería lottery
lúcido lucid
lucirse to show off
luchar to fight, battle, struggle

luego then
lugar place; **el ——— tal** such
  and such a place; **———es
  comunes** commonplace utter-
  ances, trite sayings
lujo luxury
luna moon
lunar birthmark
luz *f.* light

llamado call, footnote
llanto tears, sobbing; **próxima al
  ———** on the verge of tears
llave *f.* key
llegada arrival
llegar to arrive, come, reach;
  ——— a esos extremos to go to
  those extremes; **——— a estar
  seguro** to come to the point of
  being sure
lleno full, complete
llorar to cry
lluvia rain

madrugada dawn
maestro teacher
mago magician
mal, malo bad; **hacer ———** to
  hurt, harm; **menos ———** at least
maldecir (i) to curse
maldicencia insult
maldito damned
malestar *m.* uncomfortable feeling,
  discomfort, ill-being
malevolencia malevolence, evil
malhadado cursed, wretched
malhumor bad humor
malignidad maliciousness, malice
malograr to abort, thwart; **———se**
  to miscarry, fail
malvado wicked, perverse
mancha rough drawing, sketch
mandar to send, mail
mandíbula jaw
manejar to handle, manage
manera manner, way; **de ———
  que** so that
manga sleeve
manía whim, madness, mania
manicomio insane asylum
manifestación political demonstration

maniobra maneuver
mantener (ie) to maintain
manzana apple
máquina machine
mar *m., f.* sea, ocean
maravilloso marvelous
marcha walk; **seguir su** ——
follow her (steps)
marido husband
marinero sailor
más more; **no** —— simply; **sin**
—— without further ado
matar to kill
máximo maximum
mayor greater, greatest, further
mediante by means of, through
médico doctor
medida: a —— **que** as
medido measured, curt, calculated
medio middle
mediodía noon, midday
mejilla cheek
mejor better; —— **dicho** rather
mejora improvement
mendigar to beg
mendigo beggar
menor smaller, smallest; **el** ——
the slightest, the smallest
menos less; **a (por) lo** —— at
least; **a** —— **que** unless
mensaje *m.* message
mente *f.* mind, brain
mentira lie
menudo: a —— frequently, often
merecer to deserve, merit
mero mere, simple
mes *m.* month
mesita small table
metafísico metaphysical
metáfora metaphor
meter to put into, to enclose;
——**se** to get into
metro meter
mezcla mixture
mezclar to mix; ——**se** to become mixed
mezquino lowly, base
miedo fear; **dar** —— to
frighten; **tener** —— to be
afraid
miembro member
mientras while

milagroso miraculous
millar thousand
mínimo minimum; **la más mínima**
the slightest
minuciosamente in detail
minuciosidad minuteness
minucioso minute
minúsculo minute, miniscule
miope nearsighted
mirada glance, look, stare; ——
de soslayo a side glance
mirar to look at; —— **fijamente**
to stare
mismo himself, herself, itself, even,
same; **hoy** —— even today; **por**
eso —— for that very reason;
yo —— I myself
modo way, manner; **de** —— **que**
so, so that; **de otro** —— if not,
otherwise, were it the contrary; **de**
tal —— in such a way; **de**
todos ——**s** anyway
mojado wet
molestar to molest, to annoy, to
bother
monstruo monster
montón *m.* heap, pile
morder to bite
moreno dark
morir (ue, u), ——**se** to die
mostrar (ue) to show
mover (ue) to move
móvil *m.* motive
mucamo servant
muchacha young girl, young lady
mudo silent, mute, speechless;
quedar —— to become speechless
muebles *m. pl.* furniture
mueca facial gesture, grimace;
—— **de burla** a mocking facial
gesture
muelle *m.* pier, dock
muerte *f.* death
muestra indication, sign
mujer *f.* wife, woman; **una** ——
cualquiera a common tramp, a
street walker
mujeriego woman chaser
multitud crowd, multitude
mundo world
muro wall

museo museum
musitar to muse, to think
mutilado mutilated

nacer to be born
nada nothing, nothingness
nafta naphtha
naturaleza nature
neblinoso misty, foggy
necesitar to need
necio foolish, ridiculous
negar (ie) to deny
negocio business
negro black
nerviosidad nervousness
ni neither; ni. . . ni neither. . . nor
nítidamente clearly
noticia(s) news item, news
novedoso new
novela: ——— de caballería chivalresque novel; ——— policial detective novel
nubarrón large dark cloud
nuevamente again

obedecer to obey; ——— a to be due to, be a consequence of
obligar to obligate; to force
obra work, opus
obsesionar to obsess
obstante: no ——— nevertheless, notwithstanding
ocultar(se) to hide (oneself)
oculto hidden, occult
ocurrir(se) to occur
odio hate
oficina office
oficinesco office-like, formal
ofrecer to offer
oír to hear; ———se to be heard
ojito little eye
olor *m.* smell, odor
olvidar to forget
ómnibus bus
optimista optimistic; *m. and f. n.* optimist
óptimo best, outstandingly good
orden *m., f.* order
ordenar to order, command
orgullo presumption, haughtiness
orgulloso proud
oscilar to oscillate, waver

oscuramente obscurely, darkly
oscurecer to obscure; to become dark
oscuridad darkness
oscuro dark

pagar to pay, pay for
paisaje *m.* landscape, scene
paisano farmer, peasant
pájaro bird
palabra word; con ———s claras clearly
palidez paleness
palpar to touch, feel
pampero wind (from the pampas)
pantalones *m. pl.* trousers, pants
pantanoso marshy
papel *m.* paper
para sí to oneself
parado standing, stopped
paradoja paradox
paralizar to paralyze, freeze
parco dry, scanty, of few words
parecer to seem, appear; al ——— apparently
parecerse to resemble
parecido similar
pared *f.* wall
parentesco family relationship, kinship
parisiense Parisian
parque *m.* park
parte *f.* part
partícula particle
partido game, match, party; ——— de fútbol soccer match
partir to leave; a ——— de beginning with
pasadizo narrow passageway, alleyway, subway
pasaje *m.* passage
pasajero fleeting
pasar to pass, happen; to spend; ——— la mira por encima to glance over
pasillo hall, hallway
paso step
pata paw
patológico pathological
paulatinamente slowly
pavada foolishness
pecho chest, breast
pedantería pedantry

pedazo piece
pedir (i) to request, ask for
pegar to strike
pelea fight
pelear to fight
peligro danger
pelo hair
pena sorrow; **valer la ——** to be worth the trouble
penetrante penetrating
pensamiento thought, mind, thinking
pensar (ie) to think; **como pensado para sí** as if to himself
pensativo pensive, thoughtful
peón *m.* day laborer, worker
peor worse
pequeño little, small
perder (ie) to lose
perdón forgiveness
pereza laziness
pérfido perfidious
perfil *m.* profile
periodismo journalism
permanecer to remain
permiso permission
pernicioso pernicious
perplejidad perplexity
perseguir (i) to pursue, to persecute
personaje *m.* person, character (of a play)
personal de turno work shift
perro dog
pertenecer to belong
pertenencia belonging, appurtenance
perturbar to perturb
pesadamente heavily, weightily, slowly
pesadilla nightmare
pesado heavy
pesar to weigh; *adv.* **a —— de lo cual** in spite of which; **a —— de que** in spite of the fact that
petrificado petrified
petulancia petulance, insolence
picar to bite
pie *m.* foot; **al —— de** at the foot of; **de ——** standing
piedad pity
piedra rock
pierna leg
pieza room, piece
pintar to paint

pintor painter
pintura painting
piso floor
pisotear to trample
placer *m.* pleasure
plaga plague
planear to plan
plano plane; **primo ——** foreground
planta floor; **—— baja** lower floor, main floor
plato plate, dish
playa beach
plaza square
pleno full, complete
poco little, few, small portion; **—— a ——** little by little
poder (ue) to be able; to manage
poderoso powerful
polaco Polish
policial police
poner to put; **—— de manifiesto** to declare; to point out; **—— por caso** for example; **——se** to place oneself, to become; **——se a** to start to
poniente *m.* west
por for, along, through, from; **—— otra parte** on the other hand; **—— pequeño que sea** no matter how small; **—— ser pintor** because I am a painter; **—— su culpa** because of her, him, you.
portentoso prodigious, marvellous
poseer to possess
posterior post, after
precipitación haste
precipitar to jump; to precipitate
precisar to pinpoint
preferentemente preferably
pregunta question
preguntar to ask
premio prize
preocupación worry, care
presenciar to be present
presentación introduction
presentar to introduce, present, show, exhibit; **——se** to appear, present oneself
presidido por presided over by
presunto supposed
presuntuoso presumptuous

pretensión pretense, pretension; **la necia ——** stupid pretense
pretextando pretending, under the pretext
prever to foresee
previamente previously, first
previsto foreseen
primo cousin
principio beginning
probar (ue) to prove
procedimiento procedure
proceso trial, event, occurrence, process
profundización depth
profundizando penetrating, deepening
prometer to promise
pronto soon; **de ——** suddenly; **por lo ——** for the moment, for the time being
pronunciarse to declare oneself for something; to select; to agree
propio very, own, proper
proponerse to propose; to intend
propósito purpose; **a —— de** because of, due to, apropos of
proseguir to continue
prostíbulo house of prostitution
próximo near, next; **—— al llanto** on the verge of tears
proyecto project, plan
prueba proof
publicar to publish
púdico chaste, pure
pudor *m.* bashfulness, modesty, shyness
puente *m.* bridge; **—— levadizo** drawbridge
puerilidad puerility, childishness, silliness
puerta door; **a ——s cerradas** behind closed doors; **golpear la ——** to slam the door
puerto port
pues for
puesto: —— que since
pulga flea
puntapiés: sacar a —— to kick out
punto point, period, degree
puñetazo a blow with the fist
puño fist

pureza purity
purista *m.* purist
puta whore

quedar to remain; to be; to become; **—— en** to agree to; **no quedaba sino** there only remained
quejarse to complain
quemar to burn
querer to love; to want, wish, desire; **—— decir** to mean
quiromancia chiromancy, palm reading
quiromántico palm reader
quizá perhaps

rabia anger, hate
rabioso angry
raíz *f.* root; **a —— de** immediately afterwards
ralear to thin out; to become scarce
rama branch
rapidez speed
raro odd, strange, rare
rascacielo skyscraper
rascar to scratch
rasgo characteristic, trait
rastro trace, sign
rata rat
rato while; **al ——** after a while
raza race
razón *f.* reason; **darle la —— a uno** to say that one is right
razonable reasonable
razonamiento reasoning
razonar to reason
real real, actual; royal
realizar to realize; to bring about
realmente really, actually
recalcando emphasizing
recibo receipt
reciente recent
recoger to pick up, gather
recomenzar (ie) to begin anew
reconfortante comforting
reconstruir to reconstruct; **——se** to take shape, reconstruct itself
recordar (ue) to recall, remember, to remind
recostarse (ue) to lie down
recuerdo memory

recurrir to take recourse; to turn to
redactar to compose, write
reemplazar to replace
referente a in reference to, concerning
referir (ie, i) to tell; to refer
refinado refined, fine
reflexión thought, reflection; **hacer una** ——— to think
reflexionar to reflect, think
reforzarse (ue) to become reinforced
refregar to rub
refrescarse to refresh, freshen up
refugiarse to take refuge
refugio refuge
regazo lap
reglamento rule
regreso to return
rehacer to reconstruct, remake
rehuir to reject; to withdraw, retire
reír(se) to laugh
reiteradamente repeatedly
reja grating
relámpago flash, lightning; ——— **intencionado** knowing look
relatar to relate, tell
relativo relative, comparative
relato story, account; **hacer el** ——— to tell the story
reloj *m.* watch, clock; ——— **de sol** sundial
reluciente shining
rememorar to recall
remordimiento remorse
remoto distant, foreign
renacer to be reborn
rencor *m.* rancor
renombre fame, renown
repelente repelling
repensar to think again
repentino sudden
repetir (i) to repeat
represalia reprisal
reproducir to reproduce; ———**se** to be reproduced
repugnancia repulsiveness
repugnante repulsive
requerir (ie) to require
rescatar to rescue
resignar(se) to resign (oneself)
resolver (ue) to solve, decide
resorte *m.* spring

respeto respect
respetuoso respectful
responder to answer
respuesta answer
resto rest, remainder, fraction
resuelto (*p.p. of* **resolver**) decided, solved, resolved; **en forma** ——— in a decided manner
resultado result
resultar to result, turn out
retardar to delay
retener to retain, hold on to
retirar to withdraw
retorcer (ue) to twist
retorno return
retraso delay
reunirse to gather
reventar to burst; to annoy
revisar to review
revista magazine
revolver (ue) to stir
rey *m.* king
ridiculez ridiculousness
riesgo risk
rigor: en ——— actually, in truth
rincón *m.* corner
risa laughter
risueño smiling
roca rock
roce *m.* brush, rub
rodar (ue) to roll
rodear to surround
rodilla knee
rodillera bagginess, knee patch; **pantalones con** ——— baggy trousers
rogar (ue) to beg, entreat, request
rompecabezas *m. sing.* puzzle
ropa clothes
rostro face
roto (*p.p. of* **romper**) broken
ruido noise
rumano Rumanian
rumbo direction, route
rumiar to mull over, think over
rumor *m.* noise, rumor, rumble
ruso Russian
ruta route

sacar to take out, draw out, bring out; ——— **de la cabeza** to convince to the contrary

sacudir to shake
salida exit; —— **del sol** sunrise; —— **de un barco** sailing of a ship, departure of a ship
salir to go out; to leave; —— **con modestia** display modesty
salita little room
salón salon, room, exposition hall
salto leap
saludar to greet; to bid adieu
salvaje savage
salvamento salvation
sangrar to bleed
sarraceno Saracen, Moor
secamente dryly
seco dry
seguida: en —— immediately
seguir (i) to continue; to follow
seguramente surely, of course
seguridad security, assurance, conviction
seguro sure; **estar** —— to be sure
semejante similar; such a; *m. n.* fellow being
semicerrado half-closed
sencillez simplicity
sencillo simple
sendero path
sensación feeling, sensation
sentado seated
sentarse (ie) to sit
sentido sense
sentimiento feeling
sentir (ie, i) to feel
seña sign; **hacer** ——**s** to gesture
señalar to indicate, point out
sequedad: con —— dryly
ser *v.* to be; *m.n.* being
serie *f.* series
serio serious
siguiente following
silbido hiss, whistle
silencioso silent
silueta silhouette
sillón *m.* arm chair
simplista simplifying, simple
simulacro idol, simulacrum
simular to feign, pretend
sino but rather, unless; **no . . .** —— only

sinvergüenza shameless person
soberbia pride
sobrar to be more than enough
sobre about, concerning, above; *m.n.* envelope
sobrellevar to tolerate, bear; to ease, alleviate
sobrevenir (ie, i) to happen, occur
sol *m.* sun
soledad solitude, aloneness, loneliness
soler (ue) to be accustomed
solidez solidity
sólido solid
solitario solitary, isolated, abandoned, alone
sólo only
soltero single, unmarried; *m. n.* bachelor
solterona old maid, maiden lady
sombra shadow
sombrío sombre, gloomy
someterse to submit, surrender
sonámbulo sleepwalker
sonreír to smile
sonrisa smile
sonrojarse to blush
soñar (ue) to dream
soplar to blow
sopor *m.* drowsiness
soportable bearable
soportar to put up with; to bear; to support
sordamente in a muffled voice, mutely
sordo dull, deaf
sorna cunning, knavery
sorprendente surprisingly
sorprender to surprise
sorpresa surprise
soslayo: mirada de —— a side glance
sospechar to suspect
sospechoso suspicious
sostener (ie) to hold; to sustain; to bear
sótano basement
suave mild, soft
subterfugio subterfuge, excuse
subterráneo subway

suceder to happen, occur; ————**se** to happen; to follow one after the other (as in a series)

sucesivamente in succession, one after another

sucio dirty

sudor *m.* sweat

suelo ground, floor

suelto loose, disconnected

sueño dream

suficiente sufficient, enough

suficientemente sufficiently

sufrir to suffer

sugerir (ie) to suggest

sumamente exceptionally, exceedingly, extremely

superhombre superhuman

superpuesto annexed, appended, subjoined

superrealismo surrealism

suponer to suppose

supuesto: por ———— of course

surgir to rise, surge, come to the surface

sutil shrewd, subtle

tachar to cross out

tal such

taller art studio, shop

tamaño size

tan so, as

tanque *m.* tank

tardar to delay, be late; ———— **en** to take long to

tarde late; *f.n.* afternoon

tarro de leche milk container

tartamudear to stutter

té *m.* tea

técnica technique

techo ceiling

tela cloth, canvas

telefonear to telephone

telepatía telepathy

tema *m.* theme

temblar to tremble, shake; *m.n.* quiver

temblor *m.* trembling

tembloroso shaking

temer to fear

temeroso fearful

temor *m.* fear

tempestad storm

temprano early

tenazas pliers

tenazmente tenaciously, stubbornly, obstinately

tender (ie) to extend; to hold out; to stretch

tener (ie) to have; to hold; ———— **que ver con** to have to do with

tentación temptation

tentar (ie) to tempt

ténue tenuous

teoría theory

teóricamente theoretically

tercero third; *m.n.* a go-between

terminante explicit

terminar to end; ———— **por** to end by

término: en primer ———— in the first place

ternura tenderness, warmth

terraza terrace

testigo witness

tiempo time; weather

tienda store

tierno tender

tierra earth, dirt

timidez timidity

tipo guy, character, type

titulado titled

título title

tocar to touch; ———— **el timbre** to ring the bell

todavía still, yet

todo all; ————**s** all, everyone

tomar to take; ———— **el fresco** to get some fresh air; ———— **el partido** to take the side of, to defend

tono tone

tontería foolishness, nonsense

tonto foolish

torcer (ue) to twist

tormentoso tormenting, stormy

torpe dull, stupid

torpeza stupidity, torpor

torre *f.* tower

torturante torturing

torvamente sternly, grimly

trabajo work

trabajoso laborious